ÍNDICE

Capítulo	Título	Página
	Introducción	1
1	Cómo obtuvimos el Libro de Mormón	2
2	Lehi amonesta a la gente	5
3	Lehi sale de Jerusalén	6
4	Las planchas de bronce	8
5	El viaje a través del desierto	13
6	El sueño de Lehi	18
7	La construcción del barco	21
8	El viaje por el mar	23
9	Un nuevo hogar en la tierra prometida	25
10	Jacob y Sherem	27
11	Enós	30
12	El rey Benjamín	32
13	Zeniff	36
14	Abinadí y el rey Noé	38
15	Alma enseña y bautiza	43
16	La huida del rey Limhi y de su pueblo	45
17	La huida de Alma y de su pueblo	47
18	Alma, hijo, se arrepiente	49
19	Los hijos de Mosíah se convierten en misioneros	53
20	Alma y Nehor	54
21	Los amlicitas	56
22	La misión de Alma en Ammoníah	58
23	Ammón, un gran siervo	64
24	Ammón conoce al padre del rey Lamoni	69
25	Aarón enseña al padre del rey Lamoni	71
26	El pueblo de Ammón	73
27	Korihor	75
28	Los zoramitas y el Rameúmptom	78
29	Alma enseña en cuanto a la fe y la palabra de Dios	81
30	Alma aconseja a sus hijos	82
31	El capitán Moroni derrota a Zerahemna	85
32	El capitán Moroni y el estandarte de la libertad	89
33	Los realistas contra los hombres libres	91
34	Helamán y los dos mil jóvenes guerreros	93
35	El capitán Moroni y Pahorán	95
36	Hagot	98
37	Nefi y Lehi son encarcelados	99

38	El asesinato del juez superior	103
39	Nefi recibe gran poder	108
40	Samuel el Lamanita profetiza en cuanto a Jesucristo	111
41	Las señales del nacimiento de Cristo	114
42	Las señales de la crucifixión de Cristo	117
43	Jesucristo se aparece a los nefitas	120
44	Jesucristo bendice a los niños	124
45	Jesucristo enseña sobre la Santa Cena y la oración	126
46	Jesucristo enseña a los nefitas y ora con ellos	128
47	Jesucristo bendice a Sus discípulos	131
48	Paz en América	136
49	Mormón y sus enseñanzas	138
50	Los jareditas salen de Babel	143
51	Los jareditas viajan hacia la tierra prometida	145
52	La destrucción de los jareditas	149
53	Moroni y sus enseñanzas	154
54	La promesa del Libro de Mormón	156
	Palabras que se deben saber	157
	Personas que se deben conocer	163
	Lugares que se deben conocer	165
	Personas del Libro de Mormón	166
	Índice de temas	168

HISTORIAS DEL LIBRO DE MORMÓN

LA IGLESIA DE
JESUCRISTO
DE LOS SANTOS
DE LOS ÚLTIMOS DÍAS

Publicado por
La Iglesia de Jesucristo de los Santos de los Últimos Días
Salt Lake City, Utah

Este libro reemplaza *Relatos del Libro de Mormón*
Ilustrado por Jerry Thompson y Robert T. Barrett
© 1978, 1985, 1997,1999 por Intellectual Reserve, Inc.
Todos los derechos reservados
Aprobación del inglés: 8/96
Aprobación de la traducción 8/96

Traducción de *Book of Mormon Stories Spanish*, 35666 002

INTRODUCCIÓN

Al lector
Estas historias del Libro de Mormón se han escrito especialmente para ti; se han tomado de un libro que es sagrado porque provino de nuestro Padre Celestial. Al leerlas, recuerda que tratan los hechos de personas reales que vivieron en América hace mucho tiempo.

Una vez que leas las historias que se encuentran en este libro, tal vez también desees leerlas directamente en el Libro de Mormón. Debajo de cada ilustración verás dónde puedes encontrar esa historia en el Libro de Mormón. Quizás podrías pedirle a tu papá, a tu mamá, a tu maestro o a un amigo que te ayuden.

Si no conoces el significado de una palabra, podrás buscarlo en la sección titulada "Palabras que se deben saber", que se encuentra al final del libro, donde también encontrarás información acerca de las personas y de los lugares que se mencionan en el Libro de Mormón.

A los padres y a los maestros
Este libro les servirá de ayuda para enseñar las Escrituras. Expresen su testimonio de la veracidad del Libro de Mormón y animen a quienes ustedes enseñen a obtener su propio testimonio. El entendimiento de ellos crecerá cuando ustedes les lean el texto completo de sus historias favoritas directamente en el Libro de Mormón.

CÓMO OBTUVIMOS EL LIBRO DE MORMÓN

Capítulo 1

Cuando José Smith tenía catorce años de edad, muchas iglesias afirmaban ser verdaderas, y él no sabía a cuál debía unirse.
José Smith—Historia 1:5–10.

Un día, al leer la Biblia, José leyó en Santiago 1:5: "Y si alguno de vosotros tiene falta de sabiduría, pídala a Dios". José deseaba saber qué iglesia era la verdadera, de modo que decidió preguntarle a Dios.
José Smith—Historia 1:11–13.

Una mañana de primavera, José fue a orar a una arboleda que estaba cerca de su casa.
José Smith—Historia 1:14.

Cuando se arrodilló y empezó a orar, Satanás trató de impedírselo. José oró con más fervor y pidió a nuestro Padre Celestial que le ayudara.
José Smith—Historia 1:15–16.

Nuestro Padre Celestial y Jesucristo se le aparecieron a José en un pilar de luz. Nuestro Padre Celestial señaló a Jesús y dijo: "Éste es mi Hijo Amado: ¡Escúchalo!".
José Smith—Historia 1:16–17.

José preguntó a cuál iglesia debía unirse. Jesús le dijo que no se uniera a ninguna de ellas porque todas estaban en error. *José Smith—Historia 1:18–19.*

Cuando José les contó a algunas personas lo que había visto y oído, se rieron de él, y los líderes de muchas de las iglesias locales lo persiguieron. *José Smith—Historia 1:21–22.*

Pasaron tres años. Una noche, José oró para que le fueran perdonados sus pecados y para saber lo que debía hacer. *José Smith—Historia 1:29.*

A José se le apareció un ángel llamado Moroni, quien le habló acerca de un libro que estaba escrito sobre planchas de oro. José habría de traducir al inglés lo que estaba escrito en esas planchas. *José Smith—Historia 1:33–35.*

Después que Moroni se fue, José pensó en lo que éste le había dicho. Moroni volvió dos veces más esa misma noche. *José Smith—Historia 1:44–47.*

Al día siguiente, José fue hasta lo alto del cerro de Cumorah que había visto en una visión. Ahí encontró una piedra grande, la cual pudo levantar con un palo. *José Smith—Historia 1:50–52.*

Debajo de la roca había una caja de piedra; al mirar dentro de la caja, José vio las planchas de oro.
José Smith—Historia 1:51–52.

Moroni se le apareció a José y le dijo que no sacara las planchas sino que regresara en esa misma fecha cada año durante cuatro años. Cada vez que José iba, Moroni le daba instrucción.
José Smith—Historia 1:53–54.

Al cabo de cuatro años, por fin se le permitió a José llevarse las planchas de oro. Él usó el Urim y Tumim para traducir algunas de ellas.
José Smith—Historia 1:59, 62.

Los escribientes le ayudaban a José a escribir las palabras a medida que él las traducía de las planchas de oro.
José Smith—Historia 1:67.

José llevó las palabras traducidas a un impresor para que con ellas formara un libro. *History of the Church 1:71.*

El libro se llama El Libro de Mormón; habla de las personas que vivieron en América hace muchos años; habla también de Jesucristo, el Hijo de Dios.
Introducción del Libro de Mormón

LEHI AMONESTA A LA GENTE

Capítulo 2

La mayoría de la gente que vivía en Jerusalén seiscientos años antes del nacimiento de Cristo era inicua. Dios envió profetas para llamarlos al arrepentimiento, pero no quisieron escuchar.   1 Nefi 1:4.

Lehi era profeta; él oró para que la gente se arrepintiera. Mientras oraba, apareció un pilar de fuego. Dios dijo y mostró muchas cosas a Lehi.   1 Nefi 1:5–6.

Lehi regresó a casa y tuvo una visión en la que vio a Dios rodeado de muchos ángeles que cantaban y le adoraban.   1 Nefi 1:7–8.

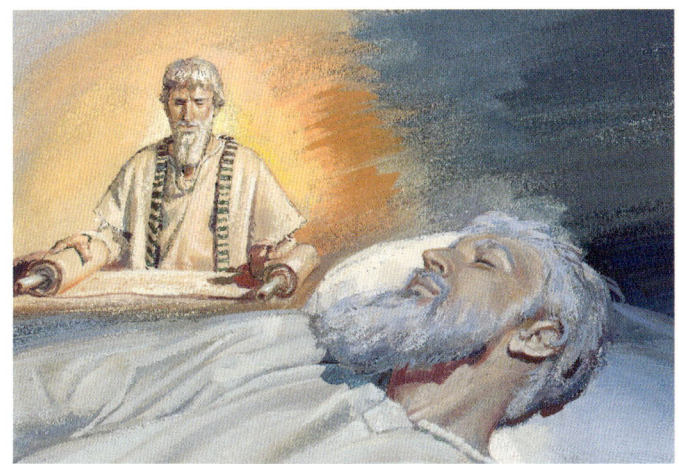

En la visión, a Lehi se le dio un libro que decía lo que iba a suceder en el futuro; en él, leyó que Jerusalén sería destruida porque la gente era inicua.   1 Nefi 1:11–13.

Lehi dijo a la gente que Jerusalén iba a ser destruida; también habló de la venida de Jesús. La gente se enojó con Lehi y trató de matarlo, pero el Señor lo protegió.   1 Nefi 1:18–20.

LEHI SALE DE JERUSALÉN

Capítulo 3

El Señor estaba complacido con Lehi y una noche le habló en un sueño. Le dijo que reuniera a su familia y salieran de Jerusalén. Lehi obedeció al Señor.
1 Nefi 2:1–3.

La familia de Lehi empacó alimentos y tiendas; abandonaron su casa, su oro y su plata y partieron hacia el desierto. *1 Nefi 2:4.*

Lehi y su esposa Saríah tenían cuatro hijos; se llamaban Lamán, Lemuel, Sam y Nefi. *1 Nefi 2:5.*

Después de viajar durante tres días, la familia de Lehi acampó en un valle cerca de un río. *1 Nefi 2:6.*

Lehi edificó un altar de piedras y ofreció un sacrificio a Dios; le dio gracias por haber salvado a su familia de la destrucción. *1 Nefi 2:7.*

Lehi dio al río el nombre Lamán y al valle el nombre Lemuel. Lehi deseaba que sus hijos fuesen como el río y el valle, fluyendo continuamente hacia Dios y siendo constantes en guardar los mandamientos.
1 Nefi 2:8–10, 14.

Lamán y Lemuel pensaban que su padre era un necio por haber salido de Jerusalén y abandonado sus riquezas. Ellos no creían que Jerusalén iba a ser destruida.
1 Nefi 2:11, 13.

Nefi deseaba comprender las cosas que Lehi había visto; él oró para saber si su padre había hecho bien en haber salido de Jerusalén.
1 Nefi 2:16.

Jesucristo visitó a Nefi y le dijo que las palabras de Lehi eran verdaderas. Nefi creyó y no se rebeló como lo hicieron Lamán y Lemuel.
1 Nefi 2:16.

Nefi dijo a sus hermanos lo que Jesús le había revelado. Sam le creyó, pero Lamán y Lemuel no.
1 Nefi 2:17–18.

El Señor le prometió a Nefi que por su fe sería bendecido y que sería líder de sus hermanos.
1 Nefi 2:19–22.

LAS PLANCHAS DE BRONCE

Capítulo 4

Lehi le dijo a Nefi que el Señor deseaba que él y sus hermanos regresaran a Jerusalén a buscar las planchas de bronce que estaban en poder de un hombre llamado Labán. *1 Nefi 3:2–4.*

Las planchas de bronce eran registros importantes acerca de los antepasados de Lehi, y contenían las palabras de Dios reveladas por medio de los profetas. *1 Nefi 3:3, 20.*

Lamán y Lemuel no querían regresar para obtener las planchas de bronce. Decían que sería muy difícil; ellos no tenían fe en el Señor. *1 Nefi 3:5.*

Nefi deseaba obedecer al Señor; él sabía que el Señor les ayudaría a él y a sus hermanos a obtener las planchas de bronce que tenía Labán. *1 Nefi 3:7.*

Lamán, Lemuel, Sam y Nefi volvieron a Jerusalén para obtener las planchas de bronce. *1 Nefi 3:9.*

Lamán fue a ver a Labán para pedirle las planchas.
1 Nefi 3:11–12.

Labán se enojó y no le dio a Lamán las planchas de bronce. Labán intentó matar a Lamán, pero éste escapó.
1 Nefi 3:13–14.

Lamán contó a sus hermanos lo ocurrido; tenía miedo, no quería intentarlo más y deseaba regresar a donde estaba su padre en el desierto. *1 Nefi 3:14.*

Nefi dijo que no podrían regresar sin las planchas de bronce; dijo a sus hermanos que tuvieran más fe en el Señor y que de ese modo podrían obtener las planchas de bronce. *1 Nefi 3:15–16.*

Nefi y sus hermanos fueron de nuevo a la casa que habían abandonado en Jerusalén para recoger el oro y la plata a fin de intercambiarlos por las planchas. *1 Nefi 3:22.*

Le mostraron a Labán las riquezas que poseían y se las ofrecieron a cambio de las planchas. Al ver el oro y la plata, Labán las deseó para sí mismo y los echó fuera.
1 Nefi 3:24–25.

Labán mandó a sus siervos que mataran a los hijos de Lehi. Nefi y sus hermanos huyeron y se escondieron en una cueva. Labán se quedó con el oro y la plata.
1 Nefi 3:25–27.

Lamán y Lemuel se enojaron con Nefi y golpearon a Nefi y a Sam con una vara.
1 Nefi 3:28.

A Lamán y a Lemuel se les apareció un ángel y les dijo que dejaran de hacer eso. Dijo que el Señor les ayudaría a obtener las planchas y también les dijo que Nefi sería gobernante sobre ellos.
1 Nefi 3:29

Nefi les dijo a sus hermanos que tuviesen fe en el Señor y que no tuvieran temor de Labán ni de sus siervos; los animó a que volvieran otra vez a Jerusalén.
1 Nefi 4:1–4.

Esa noche, los hermanos de Nefi se escondieron fuera del muro de la ciudad mientras Nefi entraba ocultamente en la ciudad y se dirigía a la casa de Labán.
1 Nefi 4:5.

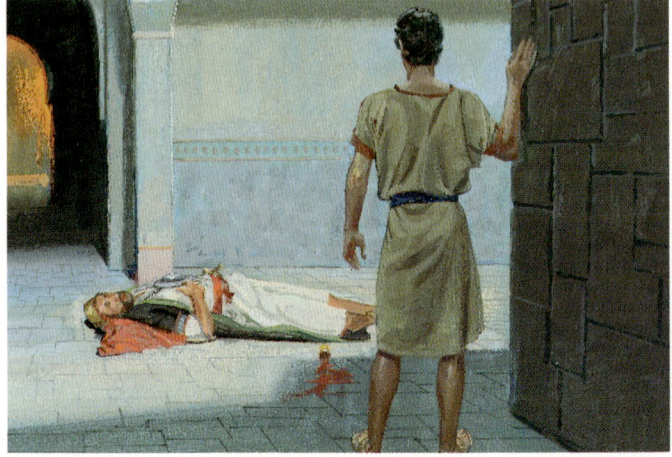
Al acercarse a la casa de Labán, Nefi vio a un hombre borracho tendido en el suelo: era Labán.
1 Nefi 4:6–8.

10

Nefi vio la espada de Labán y la recogió. El Espíritu Santo le indicó a Nefi que matara a Labán, pero Nefi no quería matarlo. 1 Nefi 4:9–10.

El Espíritu Santo de nuevo le indicó a Nefi que matara a Labán para que de ese modo pudiera obtener las planchas de bronce. La familia de Lehi necesitaba las planchas para aprender acerca del Evangelio. 1 Nefi 4:12, 16–17.

Nefi obedeció al Espíritu Santo y mató a Labán; en seguida, se puso la ropa y la armadura de Labán. 1 Nefi 4:18–19.

Nefi se dirigió a la casa de Labán en donde fue recibido por Zoram, el siervo de Labán. La apariencia y la voz de Nefi parecían ser las de Labán. 1 Nefi 4:20.

Le dijo a Zoram que le entregara las planchas de bronce. Zoram, pensando que Nefi era Labán, se las dio. Nefi le dijo a Zoram que lo siguiera. 1 Nefi 4:21, 24–25.

Lamán, Lemuel y Sam se asustaron al ver venir a Nefi, ya que pensaban que era Labán. Empezaron a huir, pero se detuvieron cuando Nefi los llamó. 1 Nefi 4:28–29.

11

Cuando Zoram se dio cuenta de que Nefi no era Labán, trató de escapar. Nefi detuvo a Zoram y prometió que no le haría daño si iba con él al desierto. 1 Nefi 4:30–33.

Zoram estuvo de acuerdo. Nefi y sus hermanos tomaron a Zoram y las planchas de bronce y regresaron a donde estaban Lehi y Saríah. 1 Nefi 4:35, 38.

Entregaron las planchas de bronce a Lehi, quien, junto con Saríah, estaba muy feliz de que sus hijos estuviesen a salvo. Todos se regocijaron y dieron gracias a Dios. 1 Nefi 5:1, 9.

Lehi leyó las planchas de bronce; contenían el relato de Adán y Eva y de la creación del mundo; también contenían las palabras de muchos profetas. 1 Nefi 5:10–11, 13.

Lehi y Nefi estaban felices porque habían obedecido al Señor y habían obtenido las planchas de bronce. 1 Nefi 5:20–21.

La familia de Lehi llevó consigo las planchas de bronce en su viaje por el desierto a fin de enseñar a sus hijos los mandamientos registrados en las planchas. 1 Nefi 5:21–22.

EL VIAJE A TRAVÉS DEL DESIERTO

Capítulo 5

El Señor quería que los hijos de Lehi tuvieran esposas que enseñaran el Evangelio a sus hijos. Le dijo a Lehi que enviara a sus hijos de nuevo a Jerusalén en busca de la familia de Ismael. *1 Nefi 7:1–2.*

Nefi y sus hermanos regresaron a Jerusalén. Le dijeron a Ismael lo que el Señor deseaba que él hiciera. Ismael les creyó y él y su familia fueron con los hijos de Lehi. *1 Nefi 7:3–5.*

Mientras viajaban por el desierto, Lamán y Lemuel y algunos de la familia de Ismael se enojaron. Ellos querían volver a Jerusalén. *1 Nefi 7:6–7.*

Nefi les recordó a Lamán y a Lemuel todo lo que el Señor había hecho por ellos. Les dijo que tuvieran más fe. Se enojaron con Nefi, pero no volvieron a Jerusalén. *1 Nefi 7:8–13, 16, 21.*

Más tarde, Nefi, sus hermanos y Zoram se casaron con las hijas de Ismael. *1 Nefi 16:7.*

El Señor le dijo a Lehi que continuara el viaje. A la mañana siguiente, Lehi encontró afuera de su tienda una esfera de bronce a la que llamaron Liahona; ésta les indicaba el camino que debían seguir en el desierto. *1 Nefi 16:9–10.*

La familia de Lehi recogió provisiones y semillas, y empacaron sus tiendas. Viajaron por el desierto durante muchos días, siguiendo la dirección de la Liahona. *1 Nefi 16:11–16.*

A medida que viajaban, Nefi y sus hermanos cazaban con arcos y flechas a fin de obtener alimentos. *1 Nefi 16:14–15.*

El arco de acero de Nefi se quebró y los arcos de sus hermanos habían perdido su fuerza, por lo que no podían cazar animales. Todos tenían mucha hambre y Lamán y Lemuel estaban muy enfadados. *1 Nefi 16:18–21.*

Nefi hizo un arco de madera y le preguntó a su padre a dónde debía ir a cazar. Lehi recibió instrucciones por medio de la Liahona. Nefi siguió las indicaciones y encontró algunos animales. *1 Nefi 16:23, 26 30–31.*

La Liahona únicamente funcionaba cuando la familia de Lehi era fiel, diligente y obediente. *1 Nefi 16:28–29.*

Nefi regresó con los animales que encontró. Todos estaban felices de tener alimentos. Se arrepintieron de haberse enojado y le dieron gracias a Dios por bendecirlos. *1 Nefi 16:32.*

La jornada no fue fácil. A menudo la familia de Lehi se sentía cansada y tenía hambre y sed. Ismael murió y sus hijas se pusieron tristes; ellas se quejaron en contra de Lehi. *1 Nefi 16:34–35.*

Lamán y Lemuel también se quejaban. Ellos no creían que el Señor le hubiera hablado a Nefi. Querían matar a Lehi y a Nefi y regresar a Jerusalén. *1 Nefi 16:37–38.*

La voz del Señor se dirigió a Lamán y a Lemuel. Les dijo que no se enfadaran con Lehi y con Nefi. Lamán y Lemuel se arrepintieron. *1 Nefi 16:39.*

La familia de Lehi continuó su difícil jornada. Dios les ayudó y los fortaleció. Tuvieron hijos; Lehi y Saríah tuvieron dos hijos más: Jacob y José. *1 Nefi 17:1–3; 18:7.*

Después de viajar por el desierto durante ocho años, la familia de Lehi llegó a la orilla del mar en donde encontraron fruta y miel. Llamaron al lugar Abundancia. *1 Nefi 17:4–6.*

El trayecto de la familia de Lehi

1. La familia de Lehi sale de Jerusalén.

2. La familia de Lehi construye un barco.

③ La familia de Lehi viaja por mar.

④ La familia de Lehi llega a América.

EL SUEÑO DE LEHI

Capítulo 6

Lehi le dijo a su familia que había tenido una importante visión en un sueño. A causa del sueño, Lehi se sentía feliz por Nefi y Sam, pero triste por Lamán y Lemuel. *1 Nefi 8:2–4.*

En la visión, Lehi vio a un hombre vestido con un manto blanco que le dijo que lo siguiera. Lehi lo siguió a un desierto obscuro y triste. *1 Nefi 8:5–7.*

Después de haber caminado en la obscuridad por muchas horas, Lehi oró para pedir ayuda. *1 Nefi 8:8.*

Entonces vio un árbol, cuyo fruto era blanco y dulce, y hacía felices a los que lo comían. *1 Nefi 8:9–10.*

Lehi comió del fruto y se llenó de gozo. Entonces deseó que su familia comiera del fruto porque sabía que también los haría felices. *1 Nefi 8:11–12.*

Lehi vio un río que corría cerca del árbol. En el manantial del río vio a Saríah, a Sam y a Nefi.
1 Nefi 8:13–14.

Lehi llamó a su esposa y a sus hijos para que comieran del fruto. Saríah, Sam y Nefi fueron y participaron del fruto, pero Lamán y Lemuel no lo hicieron.
1 Nefi 8:15–18.

Lehi también vio una barra de hierro y un sendero estrecho y angosto que conducía hacia el árbol.
1 Nefi 8:19–20.

Vio a mucha gente que caminaba por el sendero o que se dirigía hacia él. Debido a un vapor de tinieblas, algunos se desviaron del sendero y se perdieron. *1 Nefi 8:21–23.*

Otros se aferraron firmemente de la barra de hierro y pudieron llegar hasta el árbol en medio de las tinieblas. Ellos comieron el fruto del árbol. *1 Nefi 8:24.*

Al otro lado del río había un edificio grande en donde había gente que se burlaba de los que habían comido del fruto. Algunos de los que comieron del fruto se avergonzaron y se alejaron del árbol. *1 Nefi 8:26–28.*

Lehi vio a mucha gente en el sueño que tuvo; algunos se aferraban firmemente a la barra de hierro al caminar en las tinieblas para llegar hasta el árbol, en donde comían del fruto. Otros se dirigían al edificio espacioso, o se ahogaban en el río o se perdían. Lamán y Lemuel no comieron del fruto. Lehi se preocupaba por ellos y trataba de ayudarles a obedecer los mandamientos de Dios.

1 Nefi 8:30–38.

LA CONSTRUCCIÓN DEL BARCO

Capítulo 7

Después de que la familia de Lehi hubo acampado a la orilla del mar durante muchos días, el Señor le habló a Nefi y le dijo que construyera un barco para llevar a su familia a la tierra prometida. *1 Nefi 17:7–8.*

Nefi no sabía cómo construir un barco, pero el Señor le dijo que Él le mostraría la manera de hacerlo. Le dijo dónde buscar metal para hacer las herramientas que necesitaría. *1 Nefi 17:9–10.*

Lamán y Lemuel se burlaron de Nefi por querer construir un barco. Ellos no creían que el Señor le hubiera mostrado a Nefi cómo hacerlo y se negaron a ayudar. *1 Nefi 17:17–18.*

Nefi dijo a Lamán y a Lemuel que se arrepintieran y no fuesen rebeldes. Les recordó que habían visto a un ángel y también les dijo que Dios tiene poder para hacer todas las cosas. *1 Nefi 17:45–46.*

Lamán y Lemuel se enojaron con Nefi y quisieron arrojarlo al mar. *1 Nefi 17:48.*

21

Cuando ellos se acercaron a Nefi, él les mandó que no lo tocaran porque estaba lleno del poder de Dios. Lamán y Lemuel tuvieron miedo durante muchos días.

1 Nefi 17:48, 52.

Entonces el Señor le dijo a Nefi que tocara a Lamán y a Lemuel. Cuando lo hizo, el Señor los sacudió. Lamán y Lemuel supieron que el poder de Dios estaba con Nefi.

1 Nefi 17:53–55.

Nefi les dijo a Lamán y a Lemuel que obedecieran a sus padres y a Dios. Les dijo que si lo hacían, serían bendecidos. *1 Nefi 17:55.*

Lamán y Lemuel se arrepintieron y le ayudaron a Nefi a construir el barco. *1 Nefi 18:1.*

Nefi iba muchas veces al monte a pedir ayuda en oración. El Señor le enseñó cómo construir el barco.

1 Nefi 18:3.

Una vez que Nefi y sus hermanos terminaron de construir el barco, vieron que era bueno. Le dieron gracias a Dios por haberles ayudado. *1 Nefi 18:4.*

EL VIAJE POR EL MAR

Capítulo 8

El Señor le dijo a Nefi que entrara con su familia en el barco que habían construido. Lo cargaron de fruta, carne, miel y de semillas que plantarían en la tierra prometida. *1 Nefi 18:5–6.*

Los fuertes vientos empujaron al barco hacia la tierra prometida. *1 Nefi 18:8.*

Lamán, Lemuel y otros empezaron a actuar inicuamente. Cuando Nefi les dijo que no lo hicieran más, se enojaron y lo ataron con cuerdas. *1 Nefi 18:9–11.*

La Liahona dejó de funcionar debido a la iniquidad de ellos; no sabían por dónde habían de dirigir el barco. Una terrible tormenta impulsó el barco hacia atrás durante tres días. *1 Nefi 18:12–13.*

Lehi les dijo a Lamán y a Lemuel que desataran a Nefi, pero no le hicieron caso. Lehi y Saríah estaban tan disgustados que enfermaron. *1 Nefi 18:17.*

La esposa y los hijos de Nefi lloraron y les suplicaron a Lamán y a Lemuel que desataran a Nefi, pero éstos se negaron. *1 Nefi 18:19.*

Al cuarto día, la tempestad empeoró; el barco estaba a punto de hundirse. *1 Nefi 18:14–15.*

Lamán y Lemuel sabían que Dios había enviado la tormenta y tuvieron miedo de ahogarse. *1 Nefi 18:15.*

Por fin, Lamán y Lemuel se arrepintieron y desataron a Nefi. A pesar de que Nefi tenía las muñecas y los tobillos hinchados y lastimados por las ligaduras, no se quejó. *1 Nefi 18:15–16.*

Nefi tomó la Liahona y ésta empezó a funcionar otra vez. Nefi oró; el viento cesó y el mar se calmó. *1 Nefi 18:21.*

Nefi dirigió el barco y navegaron de nuevo hacia la tierra prometida. *1 Nefi 18:22.*

UN NUEVO HOGAR EN LA TIERRA PROMETIDA

Capítulo 9

El barco que llevaba a la familia de Lehi cruzó el océano y llegó a la tierra prometida; allí plantaron sus tiendas. 1 Nefi 18:23.

Prepararon la tierra y plantaron las semillas que habían llevado consigo. 1 Nefi 18:24.

Mientras viajaban por su nueva tierra, encontraron muchas clases de animales; también encontraron oro, plata y cobre. 1 Nefi 18:25.

El Señor le dijo a Nefi que hiciera planchas de metal para grabar sobre ellas. Nefi escribió acerca de su familia y de los viajes que hacían; también escribió las palabras de Dios. 1 Nefi 19:1, 3.

Lehi envejeció; antes de morir, habló a sus hijos y les dijo que obedecieran los mandamientos de Dios. También bendijo a sus nietos. 2 Nefi 1:14, 16; 4:3–11.

Después de que Lehi murió, Lamán y Lemuel se enojaron con Nefi y quisieron matarlo. No querían que Nefi, su hermano menor, fuera gobernante de ellos.

2 Nefi 4:13; 5:2–3.

El Señor le dijo a Nefi que guiara a las personas justas hacia el desierto. Viajaron durante muchos días y por fin se detuvieron en un sitio al que llamaron Nefi.

2 Nefi 5:5–8.

Las personas que siguieron a Nefi obedecían a Dios; trabajaron mucho y fueron bendecidas. Nefi enseñó a su pueblo a trabajar con madera y metales, y construyeron un hermoso templo.

2 Nefi 5:10–11, 15–16.

Los seguidores de Lamán y Lemuel se llamaron a sí mismos lamanitas. Se convirtieron en personas de piel obscura; Dios los maldijo a causa de su iniquidad.

2 Nefi 5:14, 21.

Los lamanitas se hicieron ociosos y no querían trabajar.

2 Nefi 5:24.

Los que siguieron a Nefi se llamaron nefitas. Los lamanitas odiaban a los nefitas y querían matarlos.

Jacob 1:14.

JACOB Y SHEREM

Capítulo 10

Antes de morir, Nefi entregó las planchas que él había escrito a su hermano menor, Jacob, quien era un hombre justo. *Jacob 1:1–2, 8.*

Nefi le dijo a Jacob que escribiera las cosas que ayudaran a la gente a creer en Jesucristo. *Jacob 1:4–6.*

Nefi le dio a Jacob el poder de ser sacerdote en la Iglesia y de enseñar la palabra de Dios a los nefitas. *Jacob 1:18.*

Después que Nefi murió, muchos nefitas se volvieron inicuos. Jacob les enseñó y les dijo que se arrepintieran de las cosas malas que estaban haciendo. *Jacob 1:15–17.*

Un hombre inicuo llamado Sherem fue entre los nefitas, enseñándoles que no creyeran en Jesucristo. *Jacob 7:1–2.*

Sherem le dijo al pueblo que no habría un Cristo. Muchos creyeron lo que él decía. *Jacob 7:2–3.*

Jacob enseñaba al pueblo a creer en Cristo; Sherem quería discutir con Jacob y convencerlo de que no habría un Cristo. *Jacob 7:6.*

La fe de Jacob en Jesucristo era inquebrantable. Él había visto ángeles y había oído la voz del Señor; él sabía que Jesús vendría. *Jacob 7:5.*

El Espíritu Santo estaba con Jacob mientras expresaba su testimonio de Jesucristo a Sherem. *Jacob 7:8–12.*

Sherem pidió ver una señal; él quería que Jacob probara que hay un Dios. Él quería ver un milagro. *Jacob 7:13.*

Jacob no le pidió a Dios una señal; dijo que Sherem ya sabía que lo que Jacob enseñaba era verdadero. *Jacob 7:14.*

Jacob dijo que si Dios hería a Sherem, ésa sería una señal del poder de Dios. *Jacob 7:14.*

Sherem cayó a tierra de inmediato y no se pudo levantar durante muchos días. *Jacob 7:15.*

Sherem estaba débil y sabía que iba a morir; mandó llamar al pueblo. *Jacob 7:16.*

Les dijo que había mentido y que debían creer en Jesucristo. *Jacob 7:17–19.*

Cuando Sherem terminó de hablar al pueblo, murió. La gente sintió el poder de Dios y todos cayeron a tierra. *Jacob 7:20–21.*

La gente empezó a arrepentirse y a leer las Escrituras. Vivieron en paz y con amor. Jacob se sentía feliz y sabía que Dios había contestado sus oraciones. *Jacob 7:22–23.*

ENÓS

Capítulo 11

Enós era hijo de Jacob. Después de que su padre falleció, Enós conservó las planchas y escribió en ellas.
Jacob 7:27.

Un día, Enós fue a cazar al bosque. Al pensar allí sobre las enseñanzas de su padre, deseó que le fueran perdonados sus pecados.
Enós 1:3–4.

Enós se arrodilló y oró a Dios. Oró todo el día y, al llegar la noche, todavía seguía orando.
Enós 1:4.

Dios le dijo a Enós que, debido a su fe en Jesucristo, sus pecados le eran perdonados.
Enós 1:5, 8.

Enós deseaba que el Señor bendijera a los nefitas; oró por ellos y el Señor dijo que los bendeciría si obedecían Sus mandamientos.
Enós 1:9–10.

Enós también deseaba que el Señor bendijera a los lamanitas; oró con gran fe y el Señor prometió que haría lo que Enós le había pedido. *Enós 1:11–12.*

A pesar de que los lamanitas pelearon contra los nefitas y trataron de destruir sus anales, Enós oró para que llegaran a ser un pueblo justo. *Enós 1:13–14.*

Enós oró para que los anales que él había llevado fuesen protegidos. El Señor prometió que algún día haría llegar a los lamanitas las enseñanzas que se encontraban escritas en los anales. *Enós 1:16.*

Enós predicó a los nefitas; deseaba que creyeran en Dios y guardaran los mandamientos. *Enós 1:10, 19.*

Los nefitas trataron de enseñar el Evangelio a los lamanitas pero éstos no quisieron escucharlos. Los lamanitas odiaban a los nefitas. *Enós 1:20.*

Enós dedicó su vida a enseñar a la gente acerca de Jesús y del Evangelio; sirvió a Dios y lo amó hasta el fin de sus días. *Enós 1:26–27.*

EL REY BENJAMÍN

Capítulo 12

El rey Benjamín era un rey nefita justo. Con la ayuda de otros hombres rectos estableció la paz en esa tierra.　　　　　　　　*Las Palabras de Mormón 1:17–18.*

El rey Benjamín envejeció y deseó hablar a los de su pueblo; quería decirles que su hijo Mosíah sería el próximo rey.　　　　　　　　　　　*Mosíah 1:9–10.*

La gente vino de todas partes del país y se congregó cerca del templo. Colocaron sus tiendas de tal modo que las puertas dieran hacia el templo.　*Mosíah 2:1, 5–6.*

El rey Benjamín habló desde una torre para que los nefitas pudieran oírlo.　　　　　　　　*Mosíah 2:7.*

Les dijo que se había esforzado mucho para servirles; dijo que el modo de servir a Dios es servirse unos a otros.

Mosíah 2:14, 17.

El rey Benjamín les dijo que obedecieran los mandamientos de Dios. Los que guarden con fidelidad los mandamientos serán felices y algún día vivirán con Dios. Mosíah 2:41.

El rey Benjamín dijo que Jesucristo pronto nacería en la tierra y que su madre se llamaría María. Mosíah 3:5, 8.

Jesús efectuaría milagros: sanaría a los enfermos y resucitaría a los muertos; haría que los ciegos vieran y que los sordos oyeran. Mosíah 3:5.

Jesús sufriría y moriría por los pecados de todos. A aquellos que se arrepientan y tengan fe en Jesús se les perdonarán sus pecados. Mosíah 3:7, 11–12.

El rey Benjamín dijo a los nefitas que hombres malos azotarían a Jesús y después lo crucificarían. Mosíah 3:9.

Después de tres días, Jesús resucitaría. Mosíah 3:10.

33

Después de que el rey Benjamín hubo hablado, los nefitas cayeron a tierra; se lamentaron por los pecados que habían cometido y desearon arrepentirse.

Mosíah 4:1–2.

Los del pueblo tuvieron fe en Jesucristo y oraron para ser perdonados. *Mosíah 4:2.*

Sintieron el Espíritu Santo en su corazón; supieron que Dios los había perdonado y que los amaba. Sintieron paz y gozo. *Mosíah 4:3*

El rey Benjamín dijo a su pueblo que creyera en Dios; quería que supieran que Dios ha creado todas las cosas y que tiene toda sabiduría y todo poder. *Mosíah 4:9.*

El rey Benjamín dijo a los del pueblo que fueran humildes y que oraran todos los días. Él quería que su pueblo siempre recordara a Dios y que fuese fiel.

Mosíah 4:10–11.

Dijo a los padres que no permitieran que sus hijos pelearan ni riñeran unos con otros. *Mosíah 4:14.*

34

Les dijo que enseñaran a sus hijos a ser obedientes y a amarse y a servirse mutuamente. *Mosíah 4:15.*

Los exhortó a tener cuidado con lo que pensaran, dijeran o hicieran; habían de ser fieles y guardar los mandamientos durante el resto de sus vidas. *Mosíah 4:30.*

El rey Benjamín les preguntó si creían en sus enseñanzas; todos ellos le dijeron que sí. El Espíritu Santo había efectuado un cambio en ellos y ya no querían pecar. *Mosíah 5:1–2.*

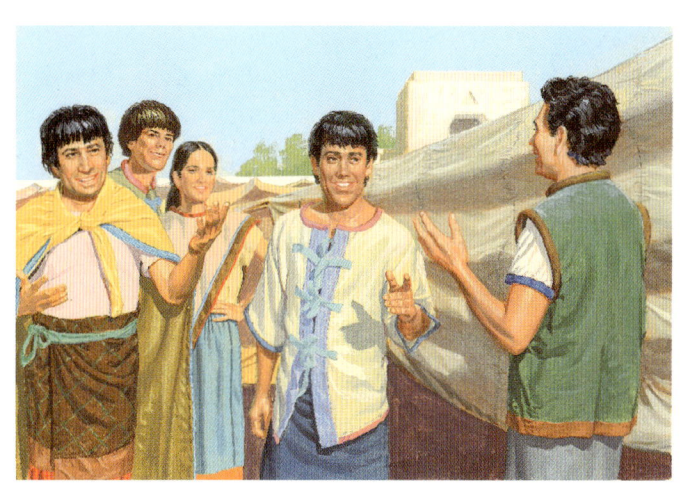

Todos ellos hicieron convenio, o sea, prometieron guardar los mandamientos de Dios. El rey Benjamín se sintió complacido. *Mosíah 5:5–6.*

El rey Benjamín concedió a su hijo Mosíah el derecho de ser el nuevo rey. El rey Benjamín murió tres años después. *Mosíah 6:3, 5.*

Mosíah fue un rey justo; trabajó mucho y sirvió a su pueblo, tal como lo había hecho su padre. *Mosíah 6:6–7.*

ZENIFF

Capítulo 13

Zeniff y un grupo de nefitas dejaron sus hogares en Zarahemla y viajaron a la tierra de Nefi, donde en un tiempo habían vivido otros nefitas.

Omni 1:27; Mosíah 9:1.

Encontraron a los lamanitas viviendo allí. Zeniff y cuatro de sus hombres fueron a la ciudad para hablar con el rey. Le preguntaron al rey Lamán si podían vivir en su tierra.

Mosíah 9:1, 5.

El rey Lamán dijo que podían quedarse con dos de sus ciudades. Él quería que vivieran en su tierra para poder hacerlos sus esclavos.

Mosíah 9:6, 10, 12.

El pueblo de Zeniff construyó casas y reparó los muros de las ciudades. Sembraron muchas clases de granos y de frutas; también tenían rebaños de animales.

Mosíah 9:8–9, 12.

El rey Lamán dijo a los de su pueblo que los nefitas se estaban volviendo demasiado poderosos. Poco después, los lamanitas atacaron a los nefitas y les robaron sus rebaños y cosechas.

Mosíah 9:11, 13–14.

36

Los nefitas huyeron a la ciudad de Nefi; allí, Zeniff los armó con arcos y flechas, espadas, mazas y hondas, y fueron a luchar en contra de los lamanitas.

Mosíah 9:15–16.

Antes de luchar, los nefitas oraron para pedir a Dios que les ayudara. Dios bendijo a los nefitas con más fuerza y pudieron derrotar a los lamanitas.

Mosíah 9:17–18.

Después de la batalla, Zeniff puso guardias alrededor de las ciudades nefitas. Él quería proteger de los lamanitas a su pueblo y a los animales.

Mosíah 10:2.

Los nefitas vivieron en paz durante muchos años. Los hombres cultivaban la tierra y las mujeres hilaban y confeccionaban la ropa.

Mosíah 10:4–5.

El rey Lamán murió y su hijo se convirtió en rey. El nuevo rey envió a su ejército a luchar contra los nefitas.

Mosíah 10:6, 8–9.

Una vez más los nefitas recibieron fortaleza del Señor; mataron a muchos lamanitas, y el resto huyó.

Mosíah 10:10, 19–20.

37

ABINADÍ Y EL REY NOÉ

Capítulo 14

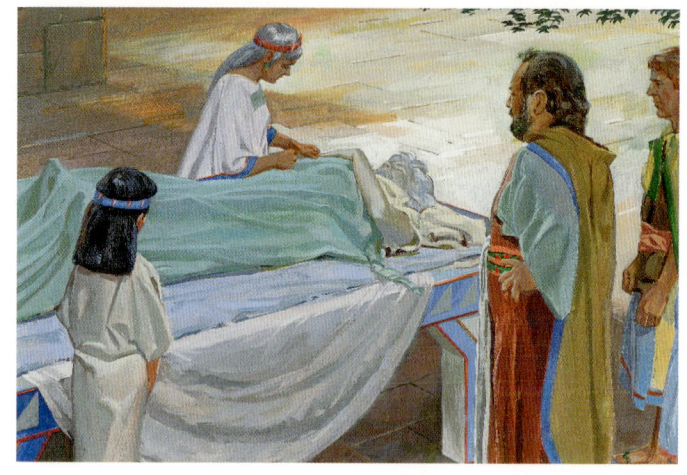

Zeniff era el rey justo de un grupo de nefitas. Cuando envejeció, su hijo Noé se convirtió en rey. *Mosíah 11:1.*

Noé no era un buen rey como lo fue su padre; era inicuo y no obedecía los mandamientos de Dios. *Mosíah 11:2.*

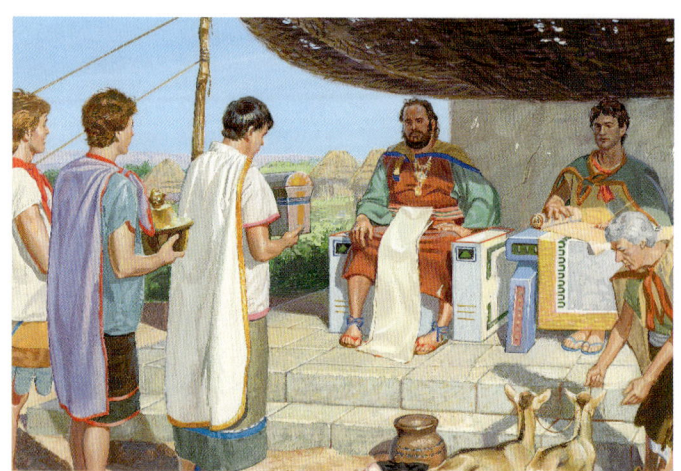

Obligó al pueblo a darle parte de sus granos, animales, oro y plata. *Mosíah 11:3.*

El rey Noé lo hizo porque era perezoso; obligó a los nefitas a darle todo lo que necesitaba para vivir. *Mosíah 11:4.*

Reemplazó a los buenos sacerdotes que su padre había llamado con sacerdotes inicuos que enseñaron a la gente a pecar. *Mosíah 11:5–7.*

38

El rey Noé hizo construir muchos edificios hermosos, incluso un gran palacio con un trono. Los edificios estaban decorados con oro, plata y madera fina.

Mosíah 11:8–11.

Al rey Noé le gustaban mucho las riquezas que le quitaba al pueblo. Él y sus sacerdotes pasaban el tiempo bebiendo vino y haciendo iniquidades. *Mosíah 11:14–15.*

Dios envió al pueblo de Noé un profeta llamado Abinadí. Éste les advirtió que si no se arrepentían, llegarían a ser esclavos de los lamanitas. *Mosíah 11:20–22.*

Cuando el rey Noé se enteró de lo que Abinadí había dicho, se enojó y envió hombres para que llevaran a Abinadí al palacio para matarlo. *Mosíah 11:27–28.*

Abinadí fue llevado ante el rey. El rey Noé y sus sacerdotes le hicieron muchas preguntas y trataron de confundirlo para que dijera algo indebido.

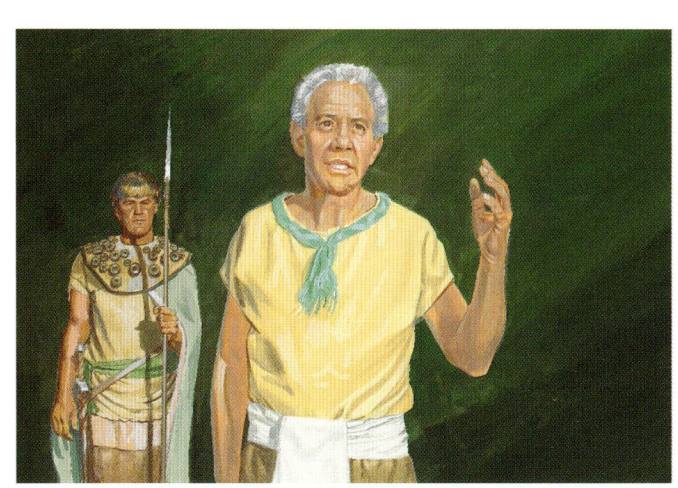

Mosíah 12:18–19.

Abinadí no tenía temor de contestar a sus preguntas. Él sabía que Dios le ayudaría. Los sacerdotes se asombraron al escuchar las respuestas de Abinadí. *Mosíah 12:19.*

39

El rey Noé se enojó y ordenó a sus sacerdotes que mataran a Abinadí, pero Abinadí les dijo que si lo tocaban, Dios los mataría a ellos. *Mosíah 13:1–3.*

El Espíritu Santo protegió a Abinadí a fin de que terminara de decir lo que el Señor quería que dijera. El rostro de Abinadí resplandecía; los sacerdotes tuvieron temor de tocarlo. *Mosíah 13:3, 5.*

Con poder de Dios, Abinadí les habló en cuanto a sus iniquidades y les leyó los mandamientos de Dios. *Mosíah 13:6–7, 11–24.*

Les dijo que Jesucristo nacería en la tierra; Jesús haría posible que la gente se arrepintiera, resucitara y viviera con Dios. *Mosíah 13:33–35; 15:21–23.*

Abinadí dijo a la gente que se arrepintiera y creyera en Jesucristo o no serían salvos. *Mosíah 16:13.*

El rey Noé y todos sus sacerdotes, con excepción de uno, se negaron a creerle a Abinadí. Noé dijo a los sacerdotes que mataran a Abinadí; lo ataron y lo echaron en la cárcel. *Mosíah 17:1, 5.*

El único sacerdote que le creyó a Abinadí se llamaba Alma; él le pidió al rey Noé que dejara a Abinadí en libertad. *Mosíah 17:2.*

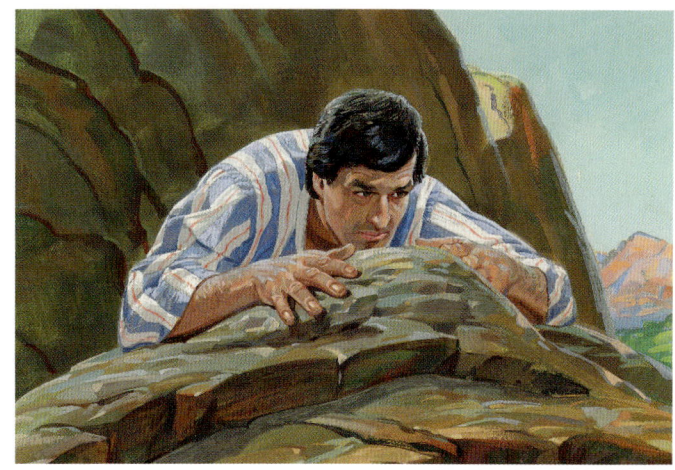

El rey se enojó con Alma e hizo que lo echaran de allí; luego envió a sus siervos para que lo mataran. Alma huyó y se escondió, y los siervos no pudieron encontrarlo. *Mosíah 17:3–4.*

Después de haber pasado tres días en la prisión, Abinadí fue llevado de nuevo ante el rey Noé. El rey le dijo a Abinadí que negara lo que había dicho en contra de él y de su pueblo. *Mosíah 17:6, 8.*

El rey Noé le dijo a Abinadí que si no negaba todo lo que había dicho, lo matarían. *Mosíah 17:8.*

Abinadí sabía que había dicho la verdad y estaba dispuesto a morir antes que negar lo que Dios le había enviado a decir. *Mosíah 17:9–10.*

El rey Noé ordenó a sus sacerdotes que mataran a Abinadí; lo ataron, lo azotaron y lo quemaron hasta que murió. Antes de morir, Abinadí dijo que el rey Noé también moriría por fuego. *Mosíah 17:13–15.*

Algunos de los nefitas se oponían al rey Noé y trataron de matarlo. El ejército lamanita también fue a luchar contra el rey y sus seguidores. *Mosíah 19:2–7.*

El rey y sus seguidores huyeron de los lamanitas, pero éstos los alcanzaron y empezaron a matarlos. El rey les dijo a sus hombres que abandonaran a sus familias y siguieran huyendo. *Mosíah 19:9–11.*

Muchos de los hombres no quisieron irse y fueron capturados por los lamanitas. *Mosíah 19:12, 15.*

La mayoría de los hombres que habían huido con el rey Noé lamentaban el haberlo hecho. Deseaban volver para ayudar a sus esposas, a sus hijos y a su pueblo. *Mosíah 19:19.*

El rey Noé no quería que los hombres regresaran junto a sus familias y les ordenó que se quedaran con él. *Mosíah 19:20.*

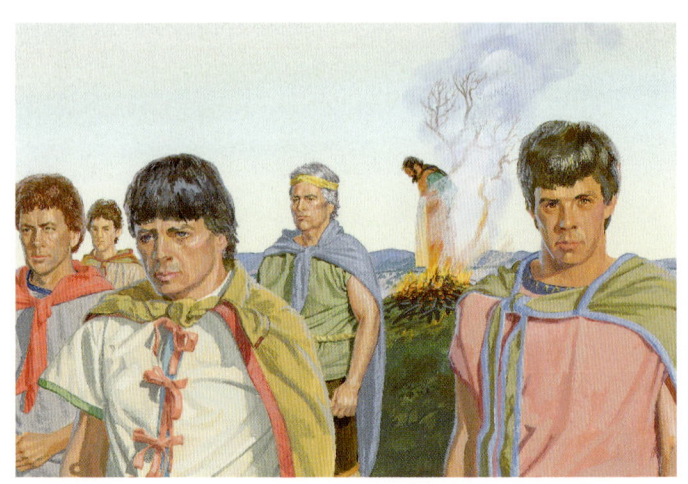

Los hombres se enojaron con el rey Noé y lo quemaron vivo, tal como Abinadí lo había profetizado. Luego volvieron al lado de sus familias. *Mosíah 19:20, 24.*

42

ALMA ENSEÑA Y BAUTIZA

Capítulo 15

Alma huyó de los siervos del rey Noé y se escondió durante muchos días. Mientras estuvo escondido, escribió lo que el profeta Abinadí había enseñado.
Mosíah 17:3–4.

Alma se arrepintió de sus pecados y en secreto fue a enseñar el mensaje de Abinadí a los nefitas. Alma le dijo al pueblo que tuviera fe en Jesucristo y se arrepintiera.
Mosíah 18:1, 7.

Durante el día, Alma se escondía en un paraje poblado de árboles cerca de una fuente de agua llamada aguas de Mormón. *Mosíah 18:5.*

Los que creyeron las enseñanzas de Alma fueron a las aguas de Mormón y fueron bautizados.
Mosíah 18:8–10, 16–17.

Alma ordenó sacerdotes para enseñar a la gente; dijo a los sacerdotes que enseñaran el arrepentimiento y la fe en Jesucristo. También les dijo que no hubiera contención entre ellos sino que fuesen unidos. *Mosíah 18:18, 20–21.*

Los del pueblo de Alma se amaban y se ayudaban unos a otros; compartían todo lo que tenían y estaban agradecidos de haber aprendido acerca de Jesucristo, su Redentor.

Mosíah 18:29–30.

Los siervos del rey Noé vieron a Alma mientras enseñaba a su pueblo. El rey dijo que Alma era el causante de que los nefitas se rebelaran en contra de él, de modo que envió un ejército para destruirlos.

Mosíah 18:32–33.

Dios le hizo saber a Alma que se acercaba el ejército del rey Noé. La gente reunió sus familias, animales y otras pertenencias y huyeron hacia el desierto.

Mosíah 18:34; 23:1.

Dios fortaleció al pueblo de Alma para que pudiera escapar del ejército del rey Noé. El ejército los buscó pero nunca los encontró.

Mosíah 19:1; 23:2.

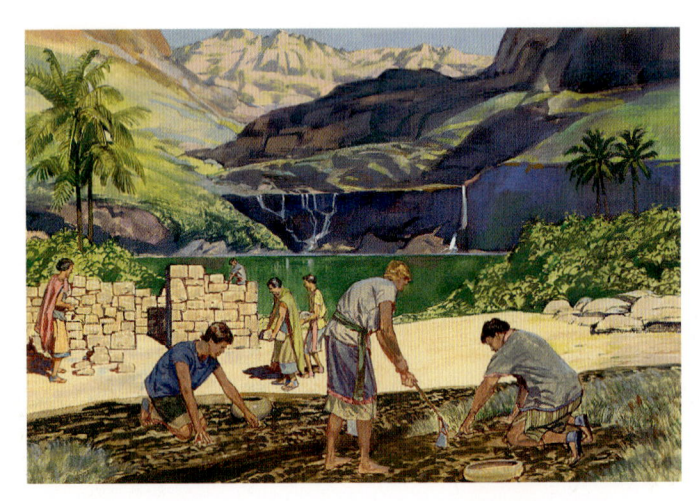

Después de viajar por el desierto durante ocho días, Alma y su pueblo llegaron a una tierra hermosa que tenía aguas puras. Allí labraron la tierra y construyeron edificios.

Mosíah 23:3–5.

La gente quería que Alma fuera su rey, pero él les dijo que Dios no quería que tuvieran rey porque quería que fueran libres.

Mosíah 23:6–7, 13.

44

LA HUIDA DEL REY LIMHI Y DE SU PUEBLO

Capítulo 16

Los lamanitas capturaron a muchos de los nefitas que no habían huido con el rey Noé. Los lamanitas se los llevaron y les dieron tierras, pero les hacían pagar tributos muy altos. *Mosíah 19:15.*

Los nefitas nombraron a Limhi como su nuevo rey. Limhi era hijo del rey Noé, pero no era inicuo como su padre, sino que era un hombre justo. *Mosíah 19:17, 26.*

El rey Limhi trató de hacer la paz con los lamanitas, pero éstos continuaron vigilando a los nefitas y siendo crueles con ellos. *Mosíah 19:27–28; 21:3.*

Un día el rey Limhi vio a unos desconocidos fuera de la ciudad e hizo que los encarcelaran. Los desconocidos eran nefitas de Zarahemla. *Mosíah 21:23–24.*

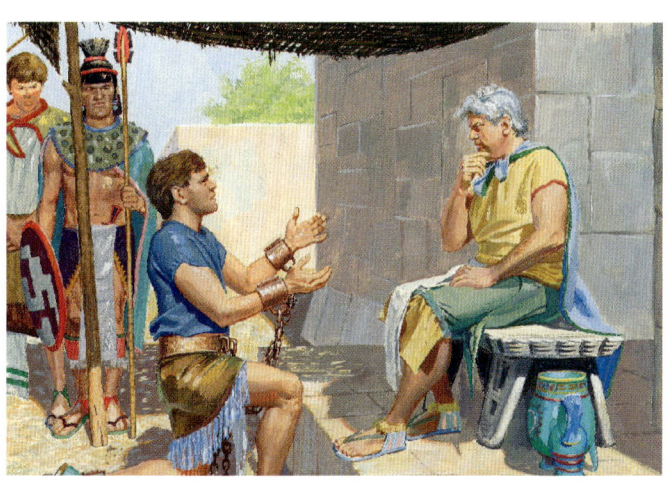

El líder de ellos era Ammón. El rey Limhi se llenó de gozo al verlo porque sabía que Ammón podría ayudar a su pueblo a escapar de los lamanitas. *Mosíah 7:13–15.*

45

El rey Limhi reunió a su pueblo y les recordó que la iniquidad de ellos era la razón por la que los lamanitas los tenían cautivos. *Mosíah 7:17, 20.*

Les dijo que se arrepintieran, que confiaran en Dios y obedecieran los mandamientos. De ese modo, Dios les ayudaría a escapar. *Mosíah 7:19, 33.*

Los nefitas se enteraron de que los lamanitas que vigilaban la ciudad por lo general se emborrachaban por la noche. *Mosíah 22:6.*

Esa noche, el rey Limhi envió más vino a los guardias como regalo. *Mosíah 22:10.*

El rey Limhi y su pueblo pudieron salir en silencio por donde estaban los guardias borrachos y huyeron. *Mosíah 22:11.*

Ammón guió al rey Limhi y a su pueblo por el desierto hasta la tierra de Zarahemla, donde se les dio la bienvenida. *Mosíah 22:13–14.*

LA HUIDA DE ALMA Y DE SU PUEBLO

Capítulo 17

Un día, mientras el pueblo de Alma se encontraba trabajando en los campos, un ejército lamanita cruzó las fronteras de sus tierras. *Mosíah 23:25.*

Los nefitas se asustaron y corrieron a la ciudad para protegerse. Alma les dijo que recordaran a Dios y Él les ayudaría. Los nefitas empezaron a orar. *Mosíah 23:26–28.*

El Señor ablandó el corazón de los lamanitas y no hicieron daño a los nefitas. Los lamanitas se habían perdido cuando habían salido a buscar al pueblo del rey Limhi. *Mosíah 23:29–30.*

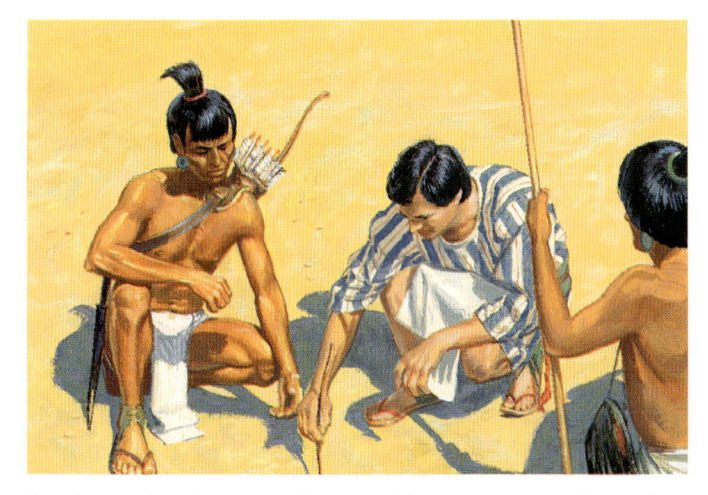

Los lamanitas le prometieron a Alma que no molestarían a su gente si les indicaba cómo volver a su tierra. Alma les indicó el camino. *Mosíah 23:36.*

Pero los lamanitas no cumplieron su promesa; pusieron guardias alrededor de la tierra y Alma y su pueblo perdieron su libertad. *Mosíah 23:37.*

47

El rey lamanita hizo a Amulón gobernante del pueblo de Alma. Amulón era nefita y había sido uno de los sacerdotes inicuos del rey Noé. *Mosíah 23:39; 24:8–9.*

Amulón hacía trabajar mucho al pueblo de Alma. Ellos oraron para suplicar ayuda, pero Amulón dijo que matarían a todo aquel que encontraran orando. La gente continuó orando en su corazón. *Mosíah 24:10–12.*

Dios escuchó sus oraciones y los fortaleció para que el trabajo les resultara más fácil; eran alegres y pacientes. *Mosíah 24:14–15.*

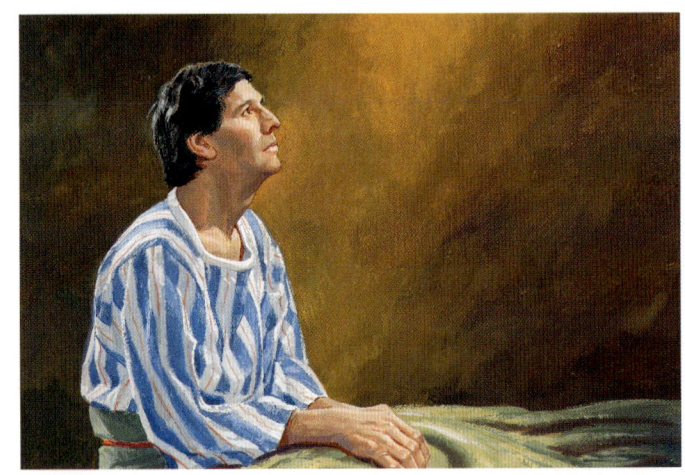

Dios estaba complacido de que la gente fuera fiel. Le dijo a Alma que Él les ayudaría a huir de los lamanitas. *Mosíah 24:16–17.*

Durante la noche, el pueblo juntó alimentos y sus rebaños. A la mañana siguiente, Dios hizo que los lamanitas durmieran profundamente mientras Alma y su pueblo huían de la ciudad. *Mosíah 24:18–20.*

Después de viajar durante 12 días, llegaron a Zarahemla donde el rey Mosíah y su pueblo les dieron la bienvenida. *Mosíah 24:25.*

ALMA, HIJO, SE ARREPIENTE

Capítulo 18

El rey Mosíah nombró a Alma líder de la Iglesia en Zarahemla. Luego, Alma escogió a otros hombres para que le ayudaran a enseñar a los nefitas.

Mosíah 25:19; 26:8.

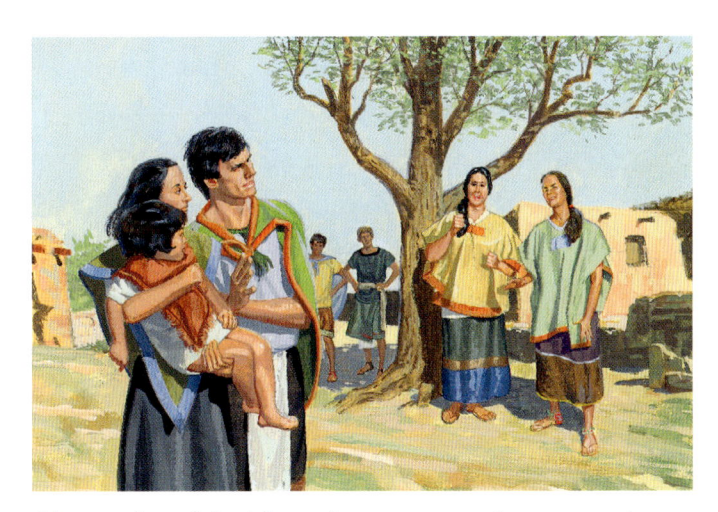

Alma y el rey Mosíah estaban preocupados porque los incrédulos estaban haciendo sufrir a los miembros de la Iglesia debido a sus creencias. *Mosíah 27:1.*

Alma tenía un hijo que se llamaba Alma. Éste no creía en las enseñanzas de su padre y se convirtió en un hombre malvado. *Mosíah 27:8.*

Alma, hijo, y los cuatro hijos del rey Mosíah lucharon en contra de la Iglesia. Ellos convencieron a muchas personas de que dejaran la Iglesia y se volvieran malas.

Mosíah 27:8.

Alma oró para que su hijo aceptara la verdad y se arrepintiera. *Mosíah 27:14.*

Alma, hijo, y los cuatro hijos de Mosíah continuaron tratando de destruir la Iglesia. *Mosíah 27:10.*

Un día se les apareció un ángel. El ángel habló con voz fuerte que hizo temblar la tierra. *Mosíah 27:11.*

Los cinco jóvenes se asustaron tanto que cayeron a tierra. Al principio no podían entender lo que el ángel les decía. *Mosíah 27:12.*

El ángel había venido en respuesta a las oraciones de los miembros de la Iglesia. El ángel le preguntó a Alma, hijo, la razón por la que luchaba en contra de la Iglesia. *Mosíah 27:13–14.*

La tierra tembló cuando el ángel le dijo a Alma, hijo, que dejara de tratar de destruir la Iglesia. *Mosíah 27:15–16.*

Alma, hijo, y los cuatro hijos de Mosíah cayeron otra vez al suelo. Habían visto un ángel y sabían que el poder de Dios había sacudido la tierra. *Mosíah 27:18.*

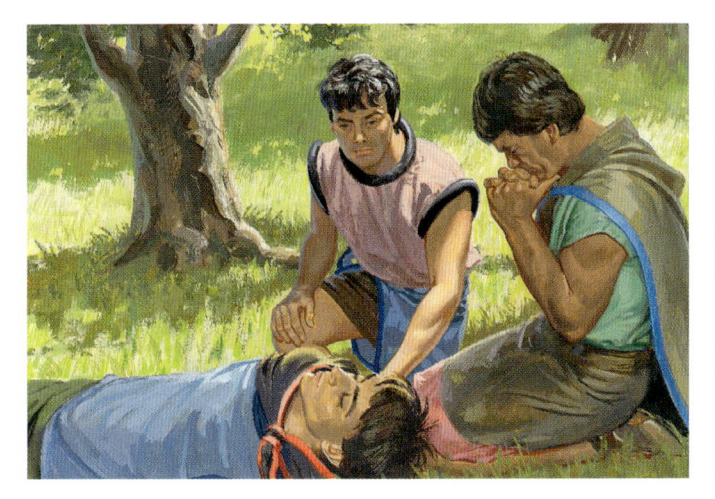

Alma, hijo, estaba tan asombrado que no podía hablar; y se había debilitado tanto que ni siquiera podía mover las manos. *Mosíah 27:19.*

Los hijos de Mosíah llevaron a Alma, hijo, a su padre y le contaron todo lo que les había sucedido. *Mosíah 27:19–20.*

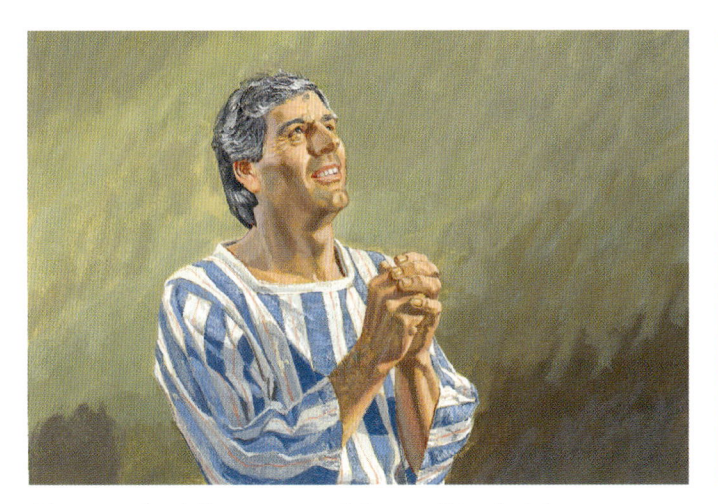

Alma estaba feliz porque sabía que Dios había contestado sus oraciones. *Mosíah 27:20.*

Alma reunió a mucha gente para que vieran lo que el Señor había hecho por su hijo y por los hijos de Mosíah. *Mosíah 27:21.*

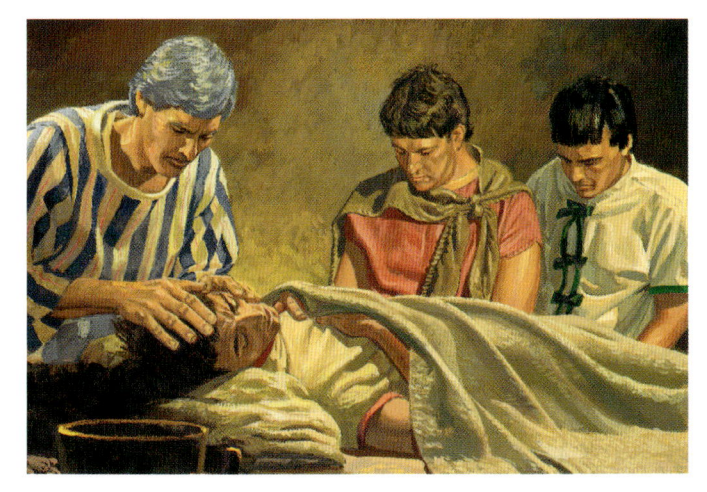

Alma, junto con otros líderes de la Iglesia, ayunaron y oraron y le pidieron a Dios que ayudara a Alma, hijo, a recuperar sus fuerzas. *Mosíah 27:22.*

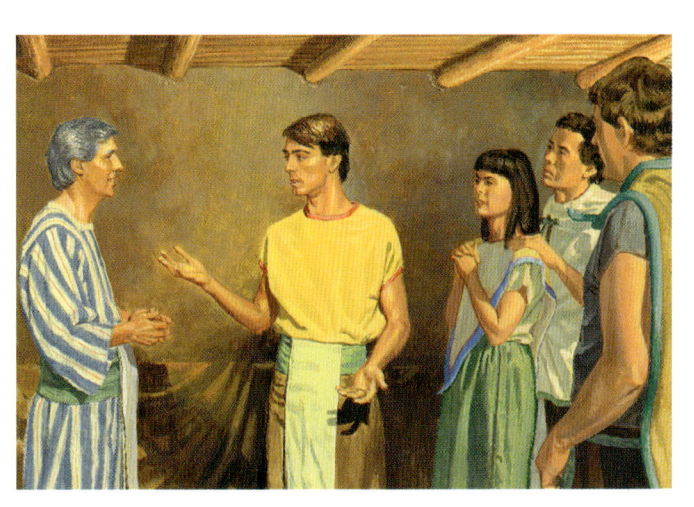

Después de dos días y dos noches, Alma, hijo, pudo hablar y moverse. *Mosíah 27:23.*

51

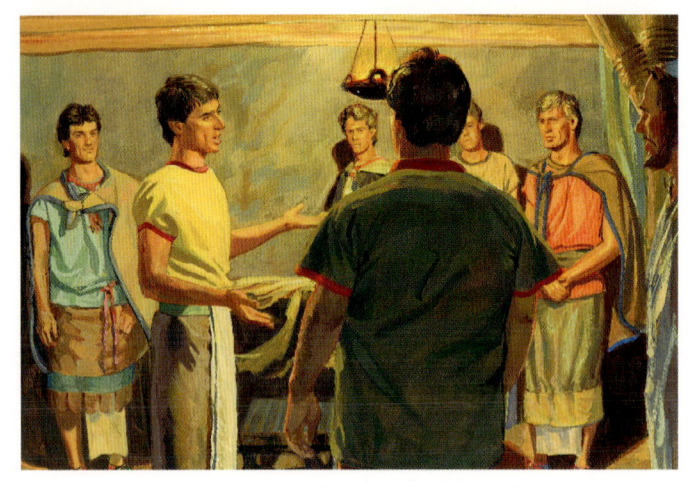

Y dijo a la gente que se había arrepentido de sus pecados y que Dios lo había perdonado. *Mosíah 27:24.*

Enseñó que para entrar en el reino de Dios todos debían actuar con rectitud. También les habló del gran sufrimiento que había padecido por los pecados que había cometido. *Mosíah 27:25–26, 29.*

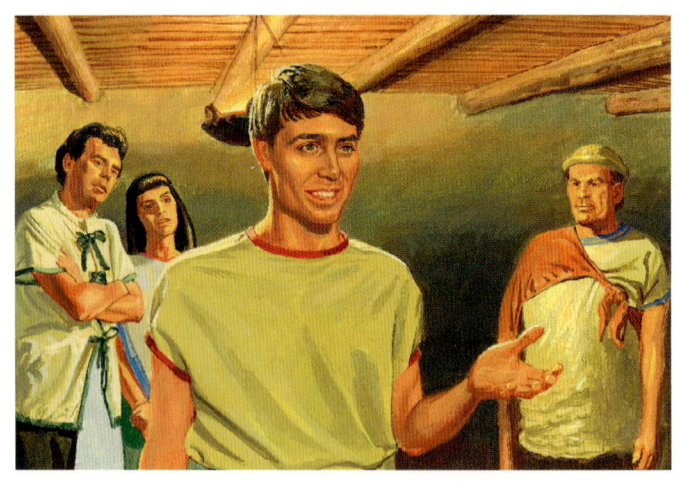

Alma, hijo, se sentía feliz por haberse arrepentido y porque Dios lo había perdonado. Él sabía que Dios lo amaba. *Mosíah 27:28.*

Alma, hijo, y los hijos de Mosíah comenzaron a enseñar la verdad por toda la tierra, diciendo a todos lo que habían visto y oído. *Mosíah 27:32.*

Se esforzaron por reparar el daño que habían causado; explicaban las Escrituras al pueblo y le enseñaban acerca de Jesucristo. *Mosíah 27:35.*

Dios bendijo a Alma, hijo, y a los hijos de Mosíah mientras enseñaban el Evangelio. Muchas personas los escucharon y les creyeron. *Mosíah 27:36.*

LOS HIJOS DE MOSÍAH SE CONVIERTEN EN MISIONEROS

Capítulo 19

Mosíah tenía cuatro hijos: Ammón, Aarón, Omner e Himni. Ellos estaban con Alma, hijo, cuando a él se le apareció un ángel. *Mosíah 27:11, 34.*

Los hijos de Mosíah se habían arrepentido de sus pecados y lamentaban los problemas que habían ocasionado. Ellos sabían que el Evangelio es verdadero y querían enseñarlo a los demás. *Mosíah 27:35–36.*

Cada uno de los hijos de Mosíah se negó a ser rey; en vez de ello, deseaban ser misioneros entre los lamanitas y compartir con ellos las bendiciones del Evangelio. *Mosíah 28:1, 10; 29:3.*

El rey Mosíah oró para saber si debía dejar ir a sus hijos. Dios le dijo que los dejara ir y que serían protegidos. Muchos lamanitas creerían su mensaje. *Mosíah 28:6–7.*

Los hijos de Mosíah fueron a enseñar a los lamanitas. Ellos ayunaron y oraron para ser buenos misioneros. *Mosíah 28:9; Alma 17:9.*

53

ALMA Y NEHOR

Capítulo 20

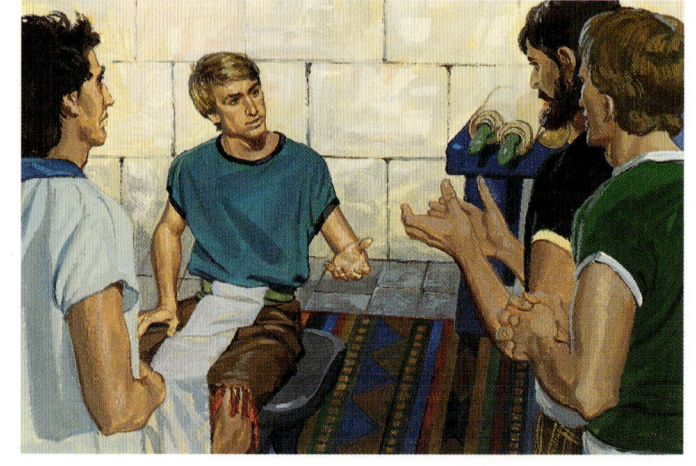

Antes de morir el rey Mosíah, los nefitas eligieron jueces para que los gobernaran. Alma, hijo, llegó a ser el primer juez superior; era también el líder de la Iglesia. *Mosíah 29:41–42.*

Un hombre fuerte y grande de estatura llamado Nehor comenzó a enseñar mentiras. Dijo que todos se salvarían, no importaba si eran buenos o malos. Muchos le creyeron a Nehor. *Alma 1:2–5.*

Nehor predicaba en contra de la Iglesia de Dios, pero un hombre justo llamado Gedeón la defendió. Nehor discutió con Gedeón, pero éste le habló con las palabras de Dios. *Alma 1:7–8.*

Nehor se enojó, sacó su espada y mató a Gedeón. *Alma 1:9.*

Nehor fue llevado ante Alma para ser juzgado. Nehor se defendió con mucha audacia. *Alma 1:10–11.*

Pero Alma dijo que Nehor era culpable porque había enseñado a la gente a ser inicua y había matado a Gedeón. *Alma 1:12–13.*

Alma dijo que Nehor debía ser castigado por haber matado a Gedeón. De acuerdo con la ley, Nehor debía morir. *Alma 1:14.*

Nehor fue llevado a un cerro cercano donde se le dio muerte. Antes de morir, dijo que todo lo que había enseñado era malo; pero muchos siguieron creyendo las enseñanzas malas de Nehor. *Alma 1:15–16.*

Esas personas amaban las riquezas y no obedecían los mandamientos de Dios. Se burlaban de los miembros de la Iglesia y discutían y peleaban con ellos. *Alma 1:16, 19–20, 22.*

Las personas rectas continuaron obedeciendo los mandamientos y no protestaban aun cuando los seguidores de Nehor les hacían daño. *Alma 1:25.*

Los miembros de la Iglesia compartían todo lo que tenían con los pobres y cuidaban a los enfermos; obedecieron los mandamientos y Dios los bendijo. *Alma 1:27, 31.*

55

LOS AMLICITAS

Capítulo 21

Amlici era un hombre astuto e inicuo que quería ser rey de los nefitas; tenía muchos seguidores.

Alma 2:1–2.

Los nefitas que eran rectos no querían que Amlici fuera su rey; ellos sabían que él quería destruir la Iglesia de Dios.

Alma 2:3–4.

Los nefitas se reunieron en varios grupos para decidir si Amlici debía ser su rey. La mayoría de ellos votó en contra de Amlici, así que no se convirtió en rey de ellos.

Alma 2:5–7.

Amlici y sus seguidores se enojaron; se apartaron de los nefitas, nombraron a Amlici rey y se llamaron a sí mismos amlicitas. Amlici les dio órdenes de luchar contra los nefitas.

Alma 2:8–11.

Los nefitas justos se prepararon con arcos, flechas, espadas y otras armas para defenderse.

Alma 2:12.

Los amlicitas atacaron, y los nefitas, guiados por Alma y fortalecidos por el Señor, mataron a muchos de ellos. El resto de los amlicitas escapó. *Alma 2:15–19.*

Alma envió espías para vigilar a los amlicitas. Los espías los vieron unirse a un gran ejército lamanita y atacar a los nefitas que vivían cerca de Zarahemla. *Alma 2:21, 24–25.*

Los nefitas oraron y Dios los ayudó de nuevo. Mataron a muchos soldados del ejército lamanita–amlicita. *Alma 2:28.*

Alma y Amlici lucharon el uno con el otro con espadas. Alma oró para que su vida fuera preservada y Dios le dio la fortaleza para matar a Amlici. *Alma 2:29–31.*

Los nefitas persiguieron a los lamanitas y a los amlicitas hasta el desierto. Muchos de los heridos murieron allí y fueron devorados por las fieras. *Alma 2:36–38.*

Al igual que los lamanitas, los amlicitas se marcaron de rojo, lo cual cumplió una profecía. Los amlicitas se habían separado a sí mismos de las bendiciones del Evangelio. *Alma 3:4, 14, 18–19.*

LA MISIÓN DE ALMA EN AMMONÍAH

Capítulo 22

Alma estaba preocupado por la iniquidad de los nefitas, de modo que decidió pasar todo su tiempo predicando el Evangelio; eligió a Nefíah para que tomara su lugar como juez superior. *Alma 4:7, 18–19.*

Alma enseñó el Evangelio por todo el país. Cuando trató de predicar en Ammoníah, la gente no quiso escucharlo y lo echaron de la ciudad. *Alma 5:1; 8:8–9, 11, 13.*

Alma se sintió triste de que la gente de Ammoníah fuese tan inicua; él se fue a otra ciudad. *Alma 8:13–14.*

A Alma se le apareció un ángel para darle consuelo. El ángel le dijo que volviera a Ammoníah y predicara de nuevo. Alma se apresuró a volver. *Alma 8:15–16, 18.*

Alma tenía hambre. Cuando entró a la ciudad, le pidió comida a un hombre. Un ángel le había hecho saber a ese hombre que Alma lo iría a ver y que Alma era un profeta de Dios. *Alma 8:19–20.*

58

Ese hombre, Amulek, llevó a Alma a su casa y le dio de comer. Alma permaneció muchos días con Amulek y su familia; le dio gracias a Dios por la familia de Amulek y los bendijo. *Alma 8:21–22, 27.*

Alma le contó a Amulek en cuanto a su llamamiento de enseñar a la gente de Ammoníah. Amulek fue con Alma a enseñar a la gente; el Espíritu Santo los ayudó. *Alma 8:24–25, 30.*

Alma dijo a los del pueblo que se arrepintieran o Dios los destruiría. Dijo que Jesucristo vendría y salvaría a los que tuvieran fe en Él y se arrepintieran. *Alma 9:12, 26–27.*

La gente de Ammoníah se enojó; trataron de echarlo en la cárcel, pero el Señor lo protegió. *Alma 9:31–33.*

Entonces Amulek empezó a predicar. Muchos lo conocían; no era un extraño como lo era Alma. Les contó acerca del ángel que había visto. *Alma 9:34; 10:4, 7.*

Amulek dijo que Alma era un profeta de Dios y que hablaba la verdad. La gente se asombró al escuchar el testimonio de Amulek. *Alma 10:9–10, 12.*

59

Algunas personas se enojaron, en especial un hombre malo que se llamaba Zeezrom. Trataron de confundir a Amulek con preguntas, pero él les dijo que sabía lo que intentaban hacer. *Alma 10:13–17, 31.*

Zeezrom quería destruir todo lo que era bueno; él causaba maldades y luego la gente le tenía que pagar dinero para resolver los problemas que él había creado. *Alma 11:20–21.*

Zeezrom no podía engañar a Amulek, de manera que le ofreció dinero para que dijera que no hay Dios. Amulek sabía que Dios vive y dijo que Zeezrom también lo sabía pero que amaba más el dinero que a Dios. *Alma 11:22, 24, 27.*

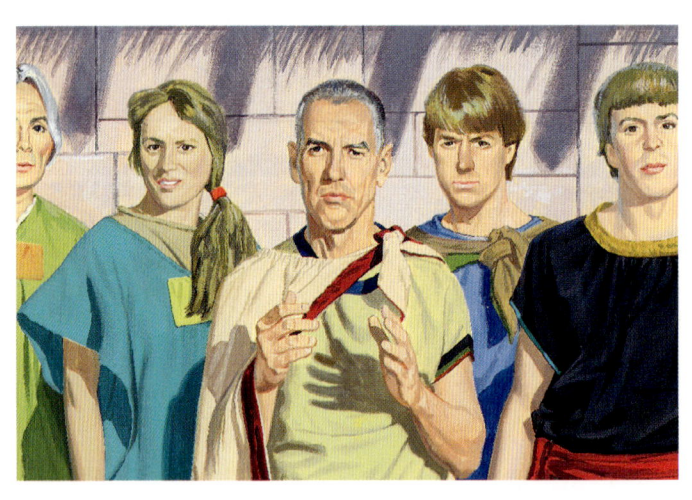

Amulek le habló a Zeezrom acerca de Jesús, sobre la Resurrección y la vida eterna. El pueblo estaba asombrado. Zeezrom comenzó a temblar de miedo. *Alma 11:40–46.*

Zeezrom vio que Alma y Amulek poseían el poder de Dios, ya que sabían lo que él estaba pensando. Zeezrom hizo preguntas y escuchó mientras Alma le enseñaba el Evangelio. *Alma 12:1, 7–9.*

Algunos creyeron a Alma y a Amulek y empezaron a arrepentirse y a estudiar las Escrituras. *Alma 14:1.*

Pero la mayoría de la gente quería matar a Alma y a Amulek; los ataron y los llevaron ante el juez superior.
Alma 14:2–4.

Zeezrom lamentaba haber sido inicuo y haberle mentido a la gente; le suplicó al pueblo que dejaran libres a Alma y a Amulek.
Alma 14:6–7.

A Zeezrom y a los otros hombres que habían creído las enseñanzas de Alma y de Amulek los echaron de la ciudad; la gente inicua los apedreó.
Alma 14:7.

Luego esa gente perversa reunió a las mujeres y a los niños que creían y los echaron al fuego, junto con sus Escrituras.
Alma 14:8.

A Alma y a Amulek los obligaron a presenciar la destrucción de las mujeres y de los niños que morían en el fuego. Amulek quería utilizar el poder de Dios para salvarlos.
Alma 14:9–10.

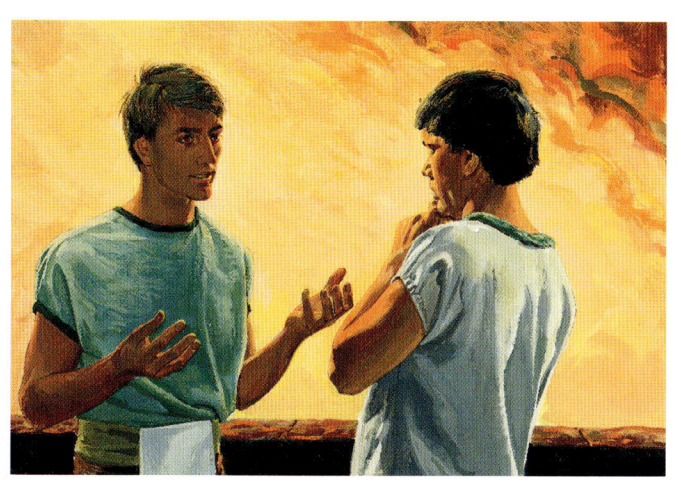

Alma le dijo a Amulek que no debía hacer nada para impedir que los mataran, ya que esas personas que iban a morir pronto estarían con Dios y que los malvados serían castigados.
Alma 14:11.

61

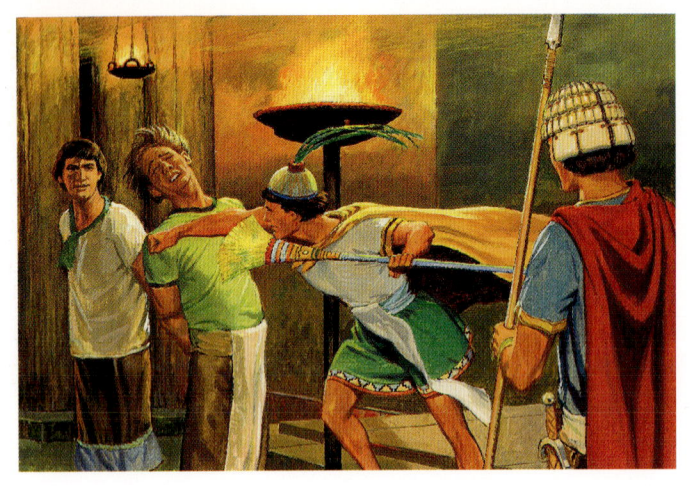

El juez superior golpeó varias veces a Alma y a Amulek en las mejillas y se burló de ellos por no haber salvado a las mujeres y a los niños de morir en el fuego. Luego los echó en la cárcel. *Alma 14:14–17.*

Otros hombres perversos fueron a la prisión y maltrataron a Alma y a Amulek de muchas formas, incluso haciéndolos padecer de hambre y escupiéndolos. *Alma 14:18–22.*

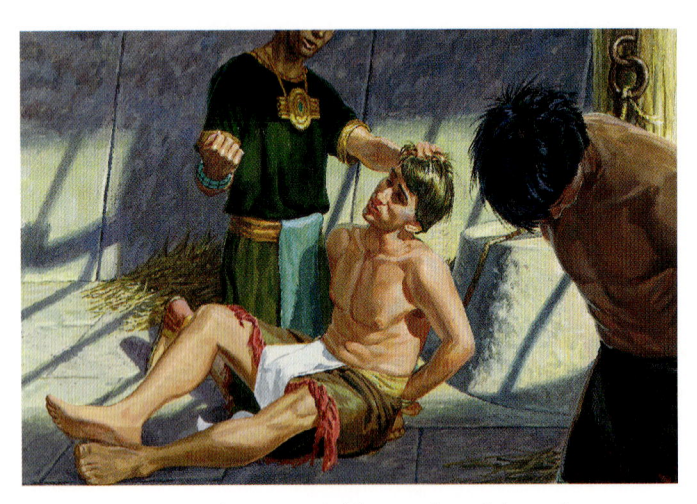

El juez superior dijo que si Alma y Amulek usaban el poder de Dios para librarse, creería; luego los golpeó de nuevo. *Alma 14:24.*

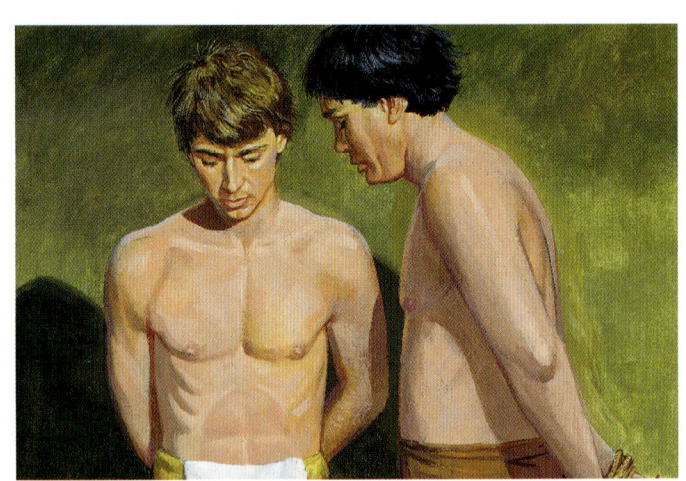

Alma y Amulek se pusieron de pie; Alma oró y le pidió a Dios que los fortaleciera a causa de la fe que tenían en Cristo. *Alma 14:25–26.*

El poder de Dios descendió sobre Alma y Amulek, y éstos rompieron las cuerdas con las que estaban atados. Los hombres malvados se llenaron de temor y trataron de huir, pero cayeron al suelo. *Alma 14:25–27.*

La tierra se estremeció y los muros de la prisión cayeron sobre los hombres perversos. El Señor protegió a Alma y a Amulek, y no recibieron ningún daño. *Alma 14:27–28.*

La gente de Ammoníah fue a ver lo que estaba sucediendo; al ver a Alma y a Amulek salir de la prisión derrumbada, se asustaron y huyeron. *Alma 14:28–29.*

El Señor dijo a Alma y a Amulek que fueran a Sidom; allí encontraron a los que habían creído. Zeezrom también estaba ahí y estaba muy enfermo. *Alma 15:1–3.*

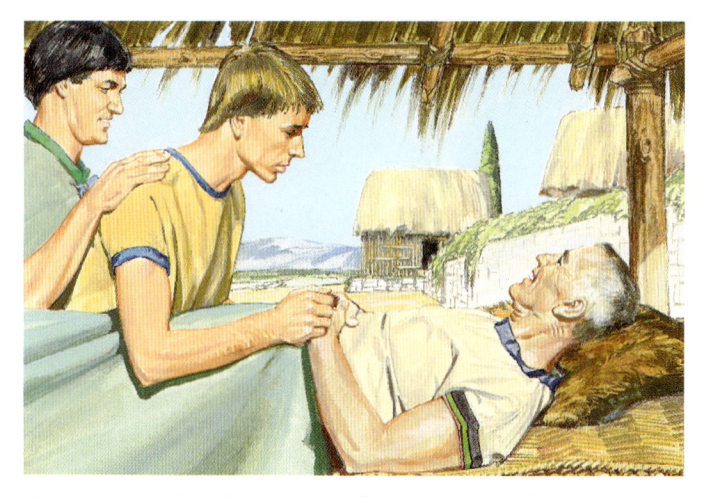

Zeezrom se alegró de ver a Alma y a Amulek, ya que había estado preocupado de que hubieran perdido la vida a causa de lo que él había hecho. Les pidió que lo sanaran. *Alma 15:4–5.*

Zeezrom creía en Jesucristo y se había arrepentido de sus pecados. Cuando Alma oró por él, Zeezrom sanó de inmediato. *Alma 15:10–11.*

Zeezrom fue bautizado y comenzó a predicar el Evangelio. Muchos otros también fueron bautizados. *Alma 15:12, 14.*

Toda la gente inicua de Ammoníah murió a manos de un ejército lamanita, tal como Alma lo había profetizado. *Alma 10:23; 16:2, 9.*

AMMÓN, UN GRAN SIERVO

Capítulo 23

Los cuatro hijos de Mosíah salieron de Zarahemla para ir a enseñar el Evangelio a los lamanitas. Cada uno de ellos fue a una ciudad diferente. *Alma 17:12–13.*

Ammón fue a la tierra de Ismael. Al entrar en ella, los lamanitas lo ataron y lo llevaron ante su rey, Lamoni. *Alma 17:20–21.*

Ammón le dijo al rey Lamoni que quería vivir entre los lamanitas. Lamoni se sintió complacido y ordenó a sus hombres que desataran a Ammón. *Alma 17:22–24.*

Ammón dijo que sería uno de los siervos del rey. El rey lo envió a cuidar sus rebaños. *Alma 17:25.*

Un día, cuando Ammón y otros de los siervos llevaban los rebaños al abrevadero, unos ladrones lamanitas dispersaron los animales con el fin de robarlos. *Alma 17:26–27; 18:7.*

64

Los siervos que estaban con Ammón tuvieron miedo. El rey Lamoni había mandado matar a otros siervos que habían perdido animales a manos de los mismos ladrones. *Alma 17:28.*

Ammón sabía que ésa era su oportunidad para utilizar el poder del Señor para ganarse el corazón de los lamanitas; de esa forma, ellos escucharían sus enseñanzas. *Alma 17:29.*

Ammón dijo a los demás siervos que si juntaban el ganado nuevamente, el rey no los mataría. *Alma 17:31.*

Ammón y los demás siervos rápidamente encontraron a los animales y los condujeron otra vez hacia el abrevadero. *Alma 17:32.*

Los ladrones lamanitas regresaron. Ammón dijo a los otros siervos que cuidaran los rebaños mientras él iba a pelear con los ladrones. *Alma 17:33.*

Los ladrones lamanitas no le tenían miedo a Ammón; pensaron que sería muy fácil matarlo. *Alma 17:35.*

El poder de Dios estaba con Ammón; él les pegó con piedras y mató a algunos de ellos, lo que hizo que los demás ladrones se enojaran mucho. Alma 17:35–36.

Ellos trataron de matar a Ammón con sus mazas, pero cada vez que uno de los ladrones levantaba la maza para herir a Ammón, éste le cortaba el brazo. Atemorizados, los ladrones huyeron. Alma 17:36–38.

Los siervos llevaron los brazos cortados ante el rey Lamoni y le contaron lo que Ammón había hecho. Alma 17:39; 18:1.

El rey se quedó asombrado por el gran poder de Ammón. Él quería ver a Ammón, pero tenía miedo, ya que pensaba que Ammón era el Gran Espíritu. Alma 18:2–4, 11.

Cuando Ammón fue a verlo, el rey Lamoni no sabía qué decir; no pudo hablar por el espacio de una hora. Alma 18:14.

El Espíritu Santo le hizo saber a Ammón lo que pensaba el rey. Ammón le explicó que él no era el Gran Espíritu, sino un hombre. Alma 18:16–19.

El rey le ofreció a Ammón lo que él quisiera si le decía de qué poder se había valido para derrotar a los ladrones y para conocer los pensamientos de él. *Alma 18:20–21.*

Ammón dijo que lo único que deseaba era que el rey Lamoni creyera sus palabras. El rey dijo que creería todo lo que Ammón le dijera. *Alma 18:22–23.*

Ammón le preguntó al rey Lamoni si creía en Dios. El rey dijo que él creía en un Gran Espíritu. *Alma 18:24–27.*

Ammón dijo que el Gran Espíritu es Dios, que Él creó todo en los cielos y en la tierra y que Él conoce los pensamientos de las personas. *Alma 18:28–32.*

Ammón dijo que las personas habían sido creadas a la imagen de Dios. Agregó que Dios lo había llamado a enseñar el Evangelio a Lamoni y a su pueblo. *Alma 18:34–35.*

Ammón utilizó las Escrituras para enseñar al rey Lamoni acerca de la Creación, de Adán y de Jesucristo. *Alma 18:36, 39.*

El rey Lamoni creyó las palabras de Ammón y oró para que se le perdonaran sus pecados. Luego, cayó al suelo como si estuviera muerto. *Alma 18:40–42.*

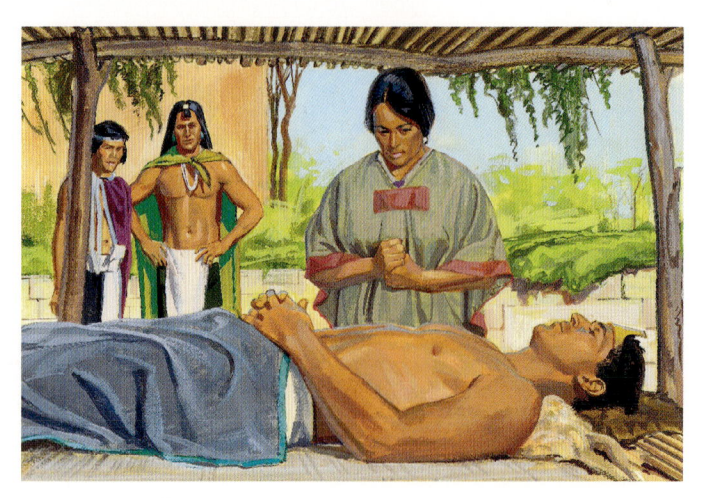

Los siervos llevaron al rey a su esposa y lo acostaron en una cama. Después de dos días, los siervos pensaron que estaba muerto y decidieron enterrarlo. *Alma 18:43; 19:1.*

La reina no creía que su esposo estuviera muerto. Habiendo oído acerca del gran poder de Ammón, le pidió que ayudara al rey. *Alma 19:2–5.*

Ammón sabía que Lamoni se hallaba bajo el poder de Dios; dijo a la reina que Lamoni despertaría al día siguiente. *Alma 19:6–8.*

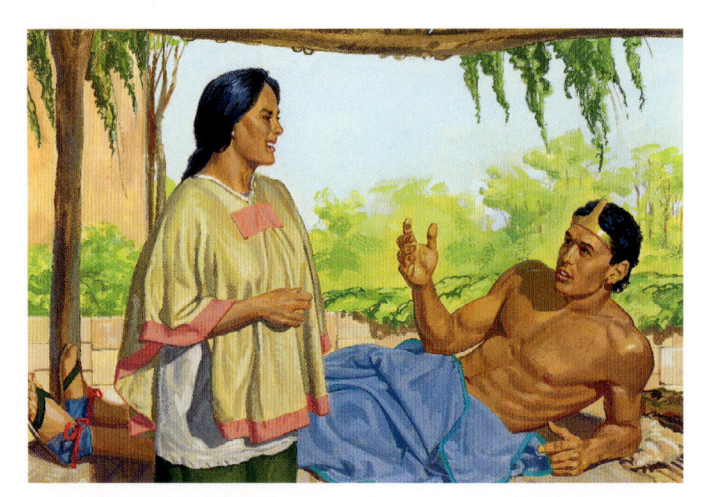

Ella permaneció al lado de Lamoni toda la noche. Al día siguiente, Lamoni se levantó y dijo que había visto a Jesucristo. El rey y la reina fueron llenos del Espíritu Santo. *Alma 19:11–13.*

Lamoni enseñó a su pueblo acerca de Dios y de Jesucristo; todos los que creyeron se arrepintieron de sus pecados y fueron bautizados. *Alma 19:31, 35.*

68

AMMÓN CONOCE AL PADRE DEL REY LAMONI

Capítulo 24

El rey Lamoni deseaba llevar a Ammón a conocer a su padre. El Señor le advirtió a Ammón que no fuera porque el padre de Lamoni intentaría matarlo.

Alma 20:1–2.

El Señor le dijo a Ammón que, en vez de ello, fuera a la tierra de Middoni, en donde su hermano Aarón se encontraba en la cárcel. El rey Lamoni acompañó a Ammón.

Alma 20:2–4.

Durante el viaje, se encontraron con el padre del rey Lamoni, quien era rey de toda esa tierra. Le preguntó a Lamoni a dónde iba con un nefita embustero.

Alma 20:8, 10.

El rey Lamoni le contó a su padre acerca de Ammón y del hermano de Ammón que estaba en prisión. Enfadado, el padre de Lamoni le mandó a éste que matara a Ammón y que no fuera a la tierra de Middoni.

Alma 20:11–14.

Lamoni se negó a matar a Ammón y dijo que él y Ammón irían a librar a Aarón. El padre de Lamoni se enojó aún más y sacó su espada para matar a Lamoni.

Alma 20:15–16.

Ammón se adelantó para defender a Lamoni. El padre de Lamoni entonces trató de matar a Ammón, pero éste se defendió e hirió el brazo del padre de Lamoni.
Alma 20:17, 20.

Cuando el padre de Lamoni vio que Ammón podía matarlo, le ofreció a Ammón la mitad de su reino si le perdonaba la vida.
Alma 20:21, 23.

Ammón dijo que él quería que Aarón y sus compañeros salieran libres de la cárcel y que Lamoni pudiese conservar su reino.
Alma 20:22, 24.

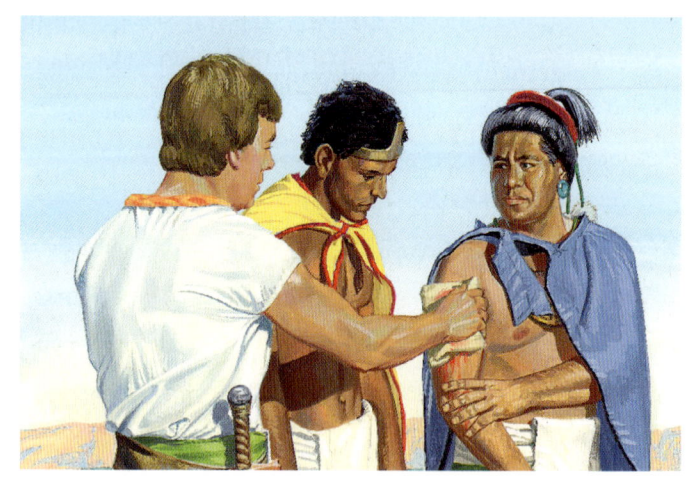

El padre de Lamoni se dio cuenta de que Ammón no deseaba hacerle daño; se asombró de lo mucho que Ammón amaba a su hijo. Le pidió a Ammón que le enseñara el Evangelio.
Alma 20:26–27.

Ammón y el rey Lamoni fueron a la tierra de Middoni. Lamoni habló con el rey de ese lugar y Aarón y sus compañeros fueron puestos en libertad.
Alma 20:28.

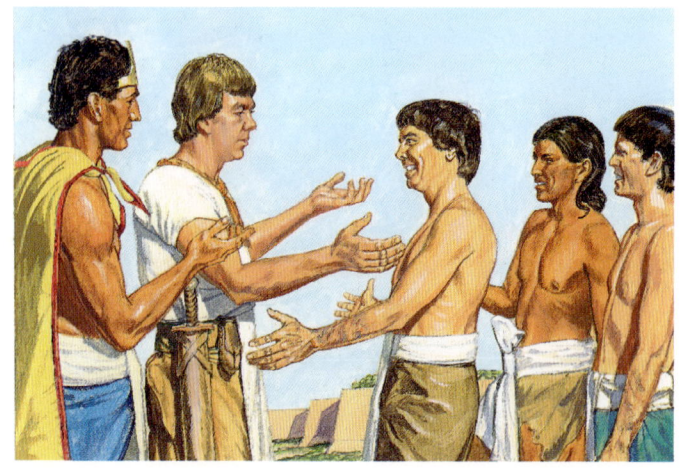

Ammón se sintió muy triste al ver lo mal que los habían tratado; habían sufrido mucho, pero habían sido pacientes.
Alma 20:29.

AARÓN ENSEÑA AL PADRE DEL REY LAMONI

Capítulo 25

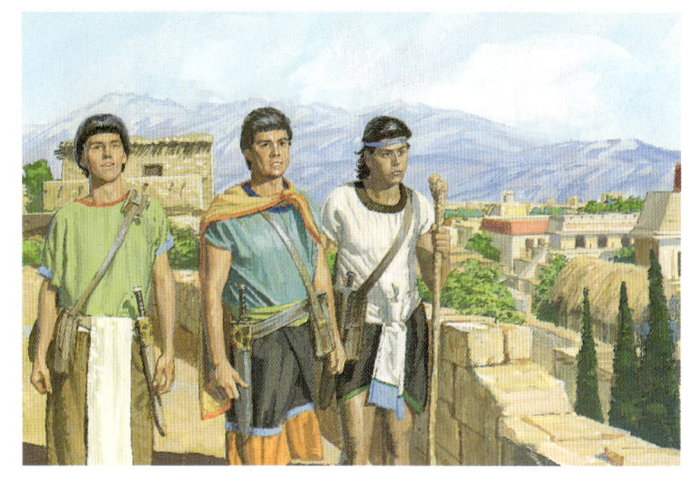

El Espíritu guió a Aarón y a sus compañeros a la tierra de Nefi para enseñar al padre de Lamoni, que era el rey de todos los lamanitas. *Alma 22:1.*

Aarón le dijo al rey que él era hermano de Ammón. El rey había estado meditando en cuanto a la bondad de Ammón y lo que éste le había dicho. *Alma 22:2–3.*

Aarón le preguntó al rey si creía en Dios. El rey dijo que no estaba seguro, pero que si Aarón decía que Dios existe, él creería. Aarón le aseguró al rey que Dios vive. *Alma 22:7–8.*

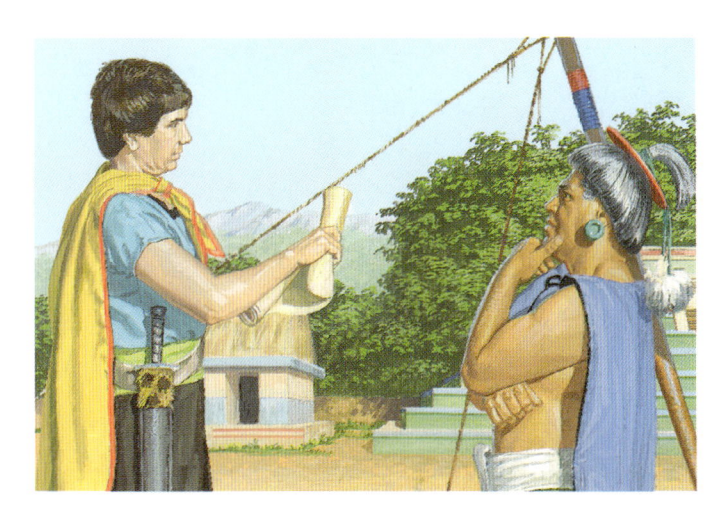

Aarón leyó las Escrituras al rey; le enseñó en cuanto a la creación de la tierra, la caída de Adán y la misión de Jesucristo. *Alma 22:12–14.*

El rey preguntó qué era lo que tenía que hacer para tener el Espíritu Santo y estar preparado para vivir con Dios. El rey estaba dispuesto a hacer cualquier cosa, incluso a abandonar su reino. *Alma 22:15.*

Aarón le dijo al rey que tenía que arrepentirse plenamente de sus pecados; que tenía que orar y tener fe en Dios.

Alma 22:16.

El rey oró para saber si en realidad hay un Dios; dijo que abandonaría todos sus pecados. *Alma 22:17–18.*

El rey cayó al suelo como si estuviera muerto. Cuando la reina lo vio, pensó que Aarón y sus compañeros lo habían matado. *Alma 22:19.*

La reina mandó a sus siervos que mataran a Aarón y a sus compañeros, pero éstos tuvieron miedo de hacerlo. Ella les mandó ir a buscar a otras personas que estuvieran dispuestas a hacerlo. *Alma 22:20–21.*

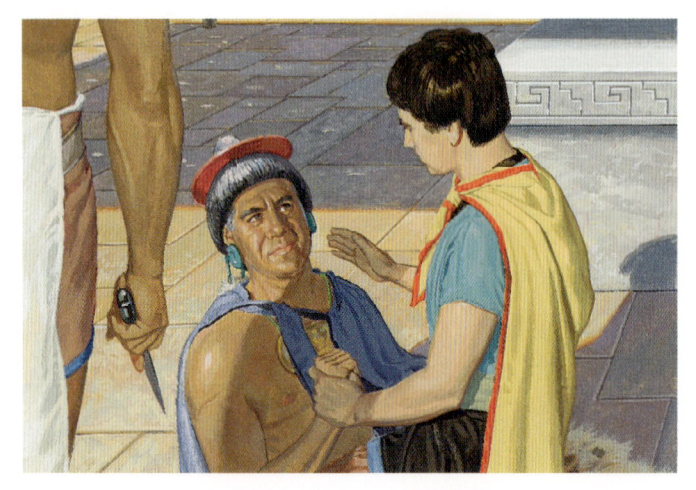

Antes de que se reuniese una multitud y hubiese una gran contienda, Aarón tomó la mano del rey y le dijo que se pusiera de pie; éste así lo hizo. *Alma 22:22.*

El rey tranquilizó a su atemorizada esposa y a sus siervos y les enseñó el Evangelio. Después, todos creyeron en Jesucristo. *Alma 22:23.*

EL PUEBLO DE AMMÓN

Capítulo 26

Los hijos de Mosíah enseñaron el Evangelio a los lamanitas; miles de ellos se arrepintieron y se unieron a la Iglesia. *Alma 23:4–5.*

Esos lamanitas que se unieron a la Iglesia se pusieron el nombre de anti-nefi-lehitas, o pueblo de Ammón; eran personas buenas y trabajadoras. *Alma 23:17–18; 27:26.*

Los lamanitas que no se arrepintieron se enojaron con el pueblo de Ammón y se prepararon para luchar contra ellos. *Alma 24:1–2.*

El pueblo de Ammón sabía que los lamanitas inicuos irían a matarlos, pero decidieron que no pelearían contra ellos porque ya se habían arrepentido de haber matado. *Alma 24:5–6.*

Enterraron sus armas profundamente en la tierra y prometieron a Dios que nunca volverían a matar. *Alma 24:17–18.*

Cuando los lamanitas inicuos llegaron y empezaron a matarlos, ellos se postraron en la tierra y oraron.

Alma 24:21.

Al ver que el pueblo de Ammón no peleaba en contra de ellos, muchos de los lamanitas inicuos dejaron de matarlos.

Alma 24:23–24.

Los lamanitas se arrepintieron de haber matado; arrojaron sus armas al suelo y se unieron al pueblo de Ammón. No querían volver a pelear.

Alma 24:24–27.

Más lamanitas llegaron para destruir a los del pueblo de Ammón, quienes se negaron a pelear y muchos fueron muertos.

Alma 27:2–3.

Ammón, que no deseaba que el pueblo al que amaba fuese destruido, oró para suplicar ayuda. El Señor le dijo que tomara a su pueblo y saliera de esa tierra.

Alma 27:4–5, 10–12.

Los nefitas de Zarahemla dieron a Ammón y a su pueblo la tierra de Jersón y los protegieron. Se hicieron amigos.

Alma 27:22–23.

74

KORIHOR

Capítulo 27

Un hombre llamado Korihor llegó a Zarahemla. Él no creía en Jesucristo y predicaba que lo que los profetas habían dicho acerca del Salvador no era verdad.
Alma 30:6, 12–14.

Korihor dijo a los del pueblo que eran necios por creer que Jesús vendría a la tierra y sufriría por los pecados de ellos. *Alma 30:16.*

Dijo que las personas no podían ser castigadas por sus pecados porque no había vida después de la muerte. Muchos creyeron a Korihor y se volvieron inicuos.
Alma 30:17–18.

Korihor intentó predicar al pueblo de Ammón, pero ellos no lo escucharon; lo ataron y lo llevaron ante Ammón, quien ordenó que lo echaran de la ciudad. *Alma 30:19–21.*

Korihor fue a la tierra de Gedeón, pero el pueblo tampoco lo quiso escuchar. El juez superior lo envió ante Alma.
Alma 30:21, 29.

Alma le preguntó a Korihor si creía en Dios; Korihor le dijo que no. Alma testificó que hay un Dios y que Cristo vendría. *Alma 30:37–39.*

Korihor quería que Alma efectuara un milagro para probar que hay un Dios. Korihor dijo que si veía una señal del poder de Dios, entonces creería en Él. *Alma 30:43.*

Alma le dijo a Korihor que ya había visto muchas señales del poder de Dios por medio de las Escrituras y de los testimonios de todos los profetas. *Alma 30:44.*

Alma dijo que la tierra y todo lo que en ella hay, así como el movimiento de los planetas en el cielo, también son señales de que hay un Dios. *Alma 30:44.*

Korihor continuó negándose a creer. Alma se sintió afligido debido a la iniquidad de Korihor y le advirtió que su alma podría ser destruida. *Alma 30:45–46.*

Korihor seguía insistiendo en que quería ver una señal que probara que hay un Dios. Alma dijo que la señal de Dios sería que Korihor no pudiese hablar. *Alma 30:48–49.*

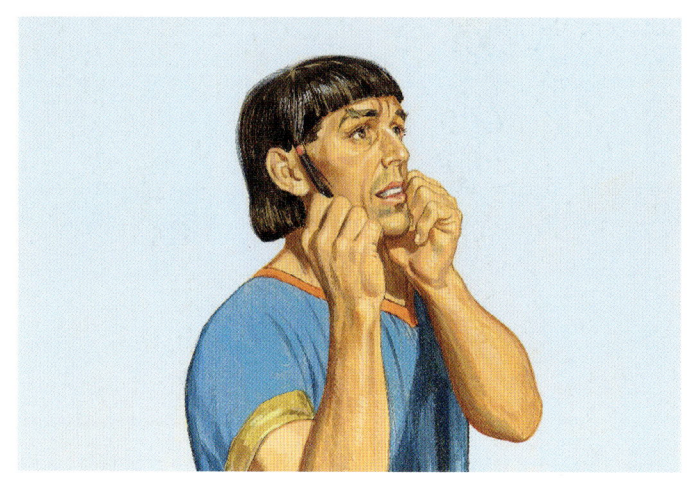

Después de que Alma hubo dicho eso, Korihor no pudo hablar. *Alma 30:50.*

Korihor escribió que él sabía que esa señal era de Dios y que siempre había sabido que hay un Dios. Le suplicó a Alma que orara y le quitara la maldición. *Alma 30:52, 54.*

Alma sabía que si Korihor podía hablar otra vez, volvería a mentir a la gente. Alma dijo que el Señor decidiría si Korihor habría de hablar de nuevo. *Alma 30:55.*

El Señor no le devolvió el habla a Korihor; éste tuvo que ir de casa en casa mendigando para comer. *Alma 30:56.*

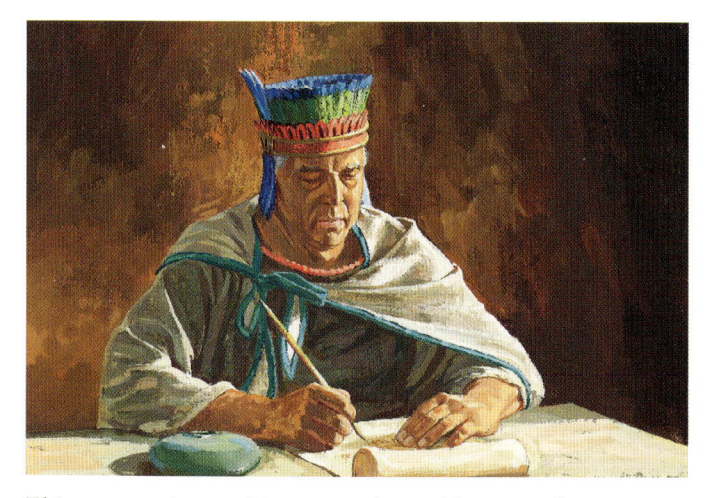

El juez superior envió una proclamación por toda esa tierra en la que relataba lo que le había sucedido a Korihor. Instó a aquellos que habían creído a Korihor a que se arrepintieran. El pueblo se arrepintió. *Alma 30:57–58.*

Korihor se fue a vivir con los zoramitas. Un día, mientras iba mendigando, lo atropellaron y murió. *Alma 30:59.*

77

LOS ZORAMITAS Y EL RAMEÚMPTON

Capítulo 28

En un tiempo, los zoramitas habían pertenecido a la Iglesia de Dios, pero se habían vuelto inicuos y adoraban ídolos. *Alma 31:1, 8–9.*

Los nefitas no querían que los zoramitas se unieran a los lamanitas, de manera que Alma fue con otros misioneros a predicar la palabra de Dios a los zoramitas. *Alma 31:4, 11.*

Estos misioneros se asombraron y se desilusionaron al ver la forma en que los zoramitas adoraban en sus iglesias, llamadas sinagogas. *Alma 31:12.*

En el centro de la iglesia, los zoramitas habían construido una plataforma alta, llamada Rameúmptom, en cuya parte superior sólo había lugar para una persona. *Alma 31:13, 21.*

Los zoramitas se turnaban para subir allí, extendían los brazos hacia el cielo y en voz alta recitaban la misma oración. *Alma 31:14, 20.*

En esa oración, los zoramitas decían que Dios no tiene cuerpo, que es sólo un espíritu. También decían que no habría Cristo. *Alma 31:15–16.*

Los zoramitas creían que Dios los había elegido sólo a ellos para ser salvos en el reino de los cielos; daban gracias por ser Su pueblo favorito. *Alma 31:17–18.*

Después de que todos los zoramitas oraban, regresaban a sus casas y durante toda la semana no volvían a orar ni a hablar acerca de Dios. *Alma 31:12, 23.*

Los zoramitas ricos amaban el oro y la plata y se jactaban de sus tesoros terrenales. Alma se entristeció al ver lo inicuos que eran. *Alma 31:24–25.*

Alma oró para que él y sus misioneros tuvieran fortaleza, consuelo y éxito en su obra. *Alma 31:26, 32–33.*

Después de haber pedido que pudieran traer a los zoramitas de nuevo a la verdad, Alma y los otros misioneros fueron llenos del Espíritu Santo.

Alma 31:34–36.

79

Entonces, los misioneros tomaron diferentes rumbos para ir a predicar. Dios los bendijo con comida y vestido, y los fortaleció en su obra. *Alma 31:37–38.*

A los zoramitas que eran pobres no se les permitía entrar en las iglesias. Ellos comenzaron a escuchar a los misioneros. *Alma 32:2–3.*

Muchos le preguntaron a Alma lo que debían hacer. Alma les dijo que no era necesario que estuvieran dentro de una iglesia para orar o para adorar a Dios. *Alma 32:5, 10–11.*

Les dijo que tuvieran fe en Dios. Entonces Amulek les habló de Jesucristo y del plan de Dios para sus hijos. *Alma 32:17–21; 34:8–9.*

Los misioneros se fueron, y los zoramitas que creyeron fueron echados del país; los creyentes fueron a vivir a la tierra de Jersón con el pueblo de Ammón. *Alma 35:1–2, 6.*

Aunque los zoramitas inicuos amenazaron al pueblo de Ammón, los del pueblo de Ammón ayudaron a los zoramitas justos y les dieron alimentos, ropa y tierras. *Alma 35:8–9.*

ALMA ENSEÑA EN CUANTO A LA FE Y LA PALABRA DE DIOS

Capítulo 29

Alma enseñó a los zoramitas acerca de la fe. Dijo que aquellos que piden una señal para poder creer no tienen fe. *Alma 32:17–18.*

Alma dijo que la fe es creer que algo es cierto sin que realmente esté allí para verlo. *Alma 32:21.*

Explicó que la fe crece cuando una persona tiene el deseo de creer y escucha la palabra de Dios. La palabra se planta en el corazón de la persona y, al igual que una semilla, empieza a crecer. *Alma 32:27–28.*

A medida que la persona aprende más acerca del Evangelio, la semilla germina y continúa creciendo. La persona sabe que la semilla es buena y su fe se fortalece. *Alma 32:30.*

Alma dijo que de la misma forma que una semilla buena produce buen fruto, la palabra de Dios bendice a las personas que tienen fe. *Alma 32:31, 41–43.*

ALMA ACONSEJA A SUS HIJOS

Capítulo 30

Alma se sentía triste al ver cuán inicuos se habían vuelto los nefitas. Enseñó a cada uno de sus hijos en cuanto a vivir con rectitud. *Alma 35:15–16.*

Alma le dijo a Helamán, su hijo mayor, que confiara en Dios; le habló acerca del ángel que Dios había mandado para decirle a Alma que dejara de destruir la iglesia. *Alma 36:3, 6.*

Alma había sufrido durante tres días por su sentimiento de culpa; luego recordó las enseñanzas de su padre acerca de Jesús, y supo que sus pecados podrían ser perdonados. *Alma 36:16–17.*

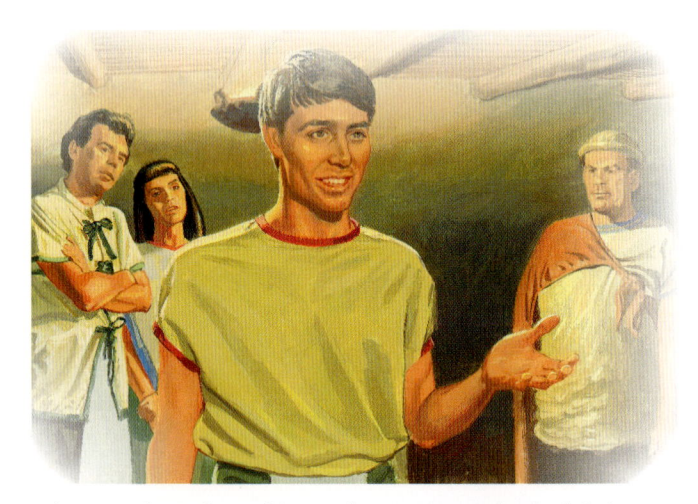

Alma suplicó el perdón, y el gozo reemplazó el dolor que sentía en su alma. Fue perdonado a causa de su fe en Jesucristo y porque se había arrepentido. *Alma 36:18–20.*

Desde entonces, Alma había enseñado el Evangelio a los demás a fin de que pudieran sentir el mismo gozo que él había sentido. Dios había bendecido a Alma a causa de la confianza que tenía en Dios. *Alma 36:24, 27.*

Alma le dio a Helamán los registros sagrados y le dijo que continuara escribiendo la historia de su pueblo.
Alma 37:1–2.

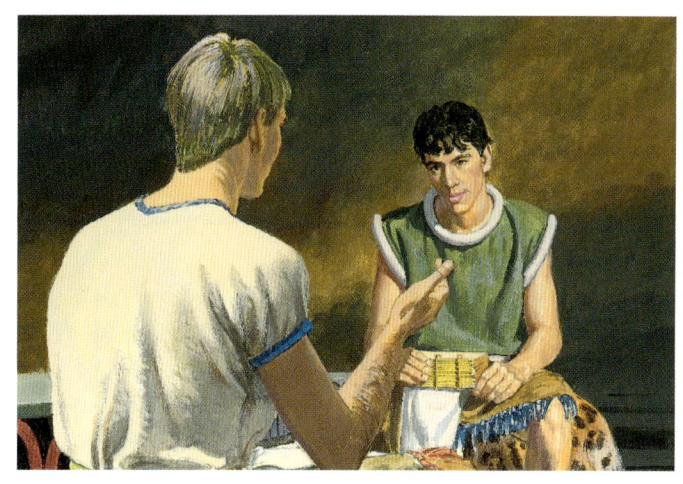

Alma le dijo que si guardaba los mandamientos, Dios lo bendeciría y le ayudaría a proteger los registros.
Alma 37:13, 16.

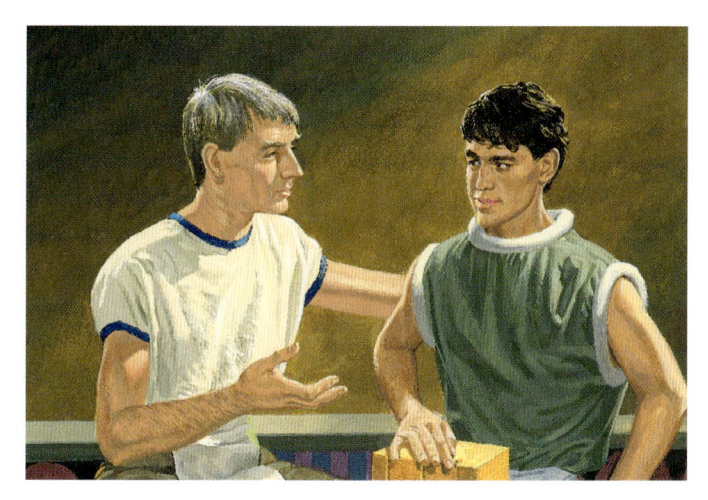

Alma también le dijo a Helamán que orara cada mañana y cada noche, y que hablara con Dios acerca de todo lo que hiciera a fin de que Dios pudiera guiarlo.
Alma 37:36–37.

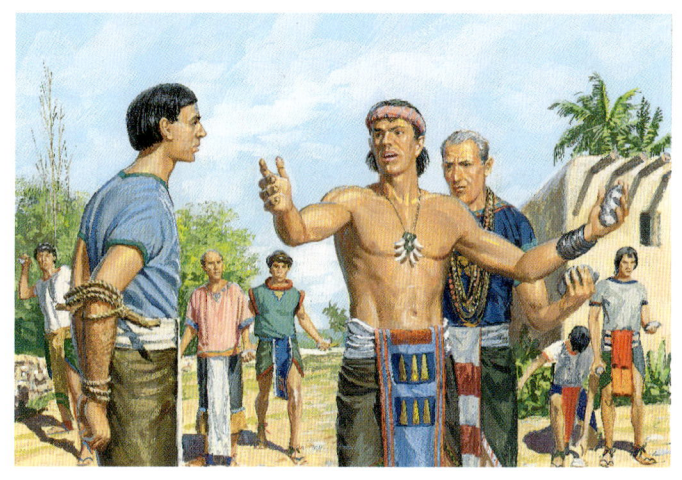

Alma estaba complacido con su hijo Shiblón, quien había sido un valiente misionero entre los zoramitas. Shiblón había permanecido fiel aun cuando lo habían apedreado.
Alma 38:3–4.

Alma le recordó a Shiblón que la única manera de ser salvo es por medio de Jesucristo; entonces alentó a su hijo a continuar enseñando el Evangelio. *Alma 38:9–10.*

Coriantón, hijo de Alma, no había guardado los mandamientos; no había sido un misionero fiel mientras predicaba entre los zoramitas. *Alma 39:2–3.*

83

Los zoramitas no creyeron las enseñanzas de Alma a causa de lo que Coriantón había hecho. *Alma 39:11.*

Alma le dijo a Coriantón que las personas no pueden ocultar sus pecados de Dios y que tenía que arrepentirse. *Alma 39:8–9.*

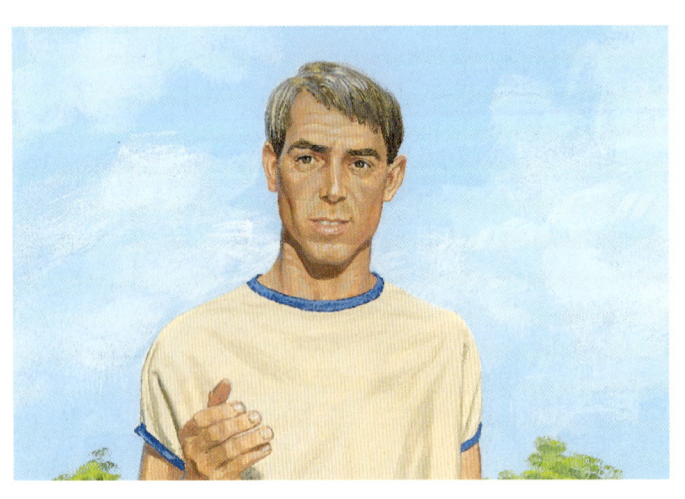

Alma le enseñó a su hijo que todos resucitarán, pero que sólo los justos vivirán con Dios. *Alma 40:9–10, 25–26.*

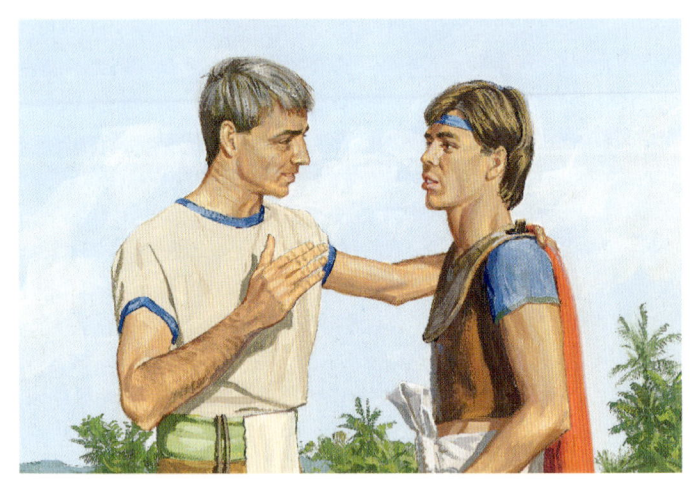

Alma dijo que esta vida es el tiempo para que las personas se arrepientan y sirvan a Dios. *Alma 42:4.*

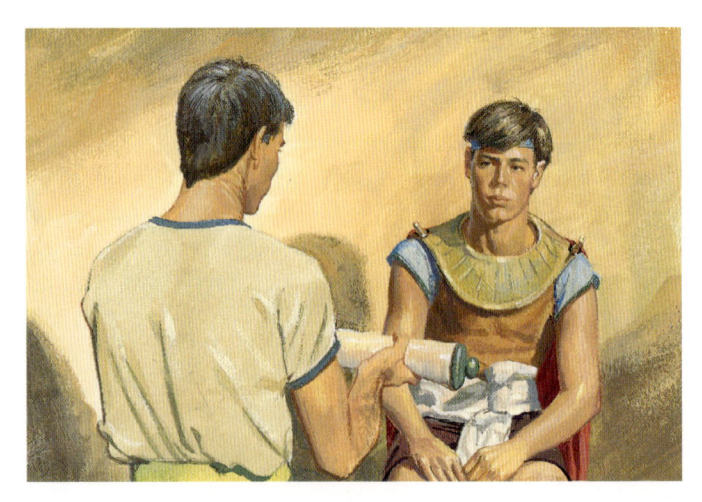

Al recordarle a Coriantón que él había sido llamado para ser misionero, Alma le dijo que volviera a los zoramitas y les predicara el arrepentimiento. *Alma 42:31.*

Alma y sus hijos continuaron predicando el Evangelio; predicaron mediante el poder del sacerdocio. *Alma 43:1–2.*

EL CAPITÁN MORONI DERROTA A ZERAHEMNA

Capítulo 31

Zerahemna, el líder de los lamanitas, quería que su pueblo continuara odiando a los nefitas y los convirtiera en sus esclavos. *Alma 43:5, 8.*

Los nefitas querían conservar libres sus tierras y sus familias; también deseaban ser libres de adorar a Dios. *Alma 43:9.*

El capitán Moroni era el líder de los ejércitos nefitas. Cuando los lamanitas fueron a luchar contra ellos, Moroni y sus ejércitos les hicieron frente en la tierra de Jersón. *Alma 43:15–16.*

El capitán Moroni había preparado a su ejército con armas, escudos, armaduras y ropa gruesa. *Alma 43:18–19.*

Los lamanitas tenían un ejército más grande, pero se asustaron cuando vieron las armaduras de los nefitas; los lamanitas llevaban puesta muy poca ropa. *Alma 43:20–21.*

El ejército lamanita no se atrevió a luchar contra el ejército del capitán Moroni; los lamanitas huyeron al desierto y decidieron atacar otra ciudad nefita. *Alma 43:22.*

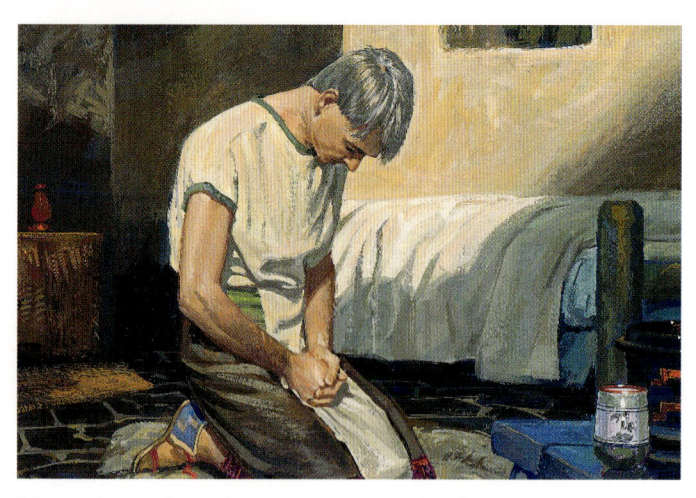

Moroni envió espías para vigilar a los lamanitas. Además, le pidió a Alma que orara al Señor para pedirle ayuda. El Señor le hizo saber a Alma el lugar donde los lamanitas atacarían. *Alma 43:23–24.*

Cuando Moroni recibió el mensaje de Alma, dejó algunos soldados para proteger Jersón y marchó con el resto del ejército para encontrarse con los lamanitas. *Alma 43:25.*

Los soldados del capitán Moroni se escondieron a ambos lados del río Sidón, y esperaron para atrapar al ejército lamanita. *Alma 43:27, 31–35.*

Comenzó la batalla y los lamanitas intentaron escapar cruzando el río, pero del otro lado los esperaban más nefitas. *Alma 43:36, 39–41.*

Luchando más fuerte de lo que jamás lo habían hecho, Zerahemna y su ejército mataron a muchos nefitas, quienes suplicaron al Señor que les ayudara.

Alma 43:43–44, 49.

El Señor fortaleció al ejército nefita. El ejército rodeó a los lamanitas, y Moroni dio la orden de que no pelearan más.
Alma 43:50, 52–54.

Moroni le dijo a Zerahemna que los nefitas no querían matar a los lamanitas ni hacerlos sus esclavos.
Alma 44:1–3.

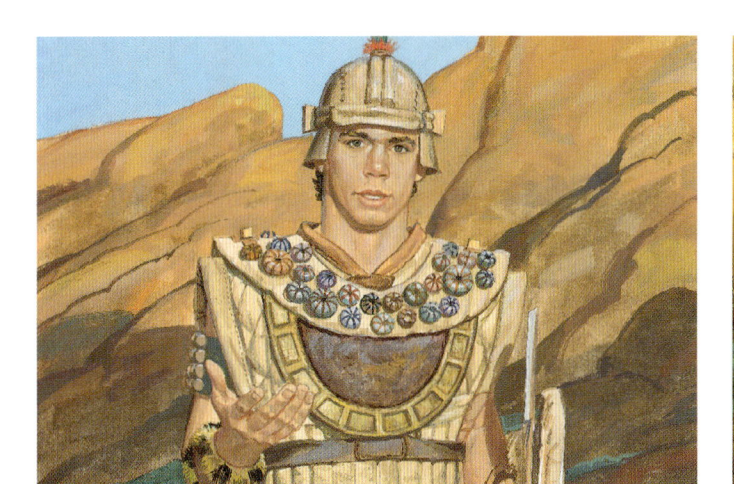

Moroni dijo que los lamanitas no podían destruir la fe que los nefitas tenían en Jesucristo. Dijo que Dios continuaría ayudando a los nefitas en la batalla en tanto permanecieran fieles.
Alma 44:4.

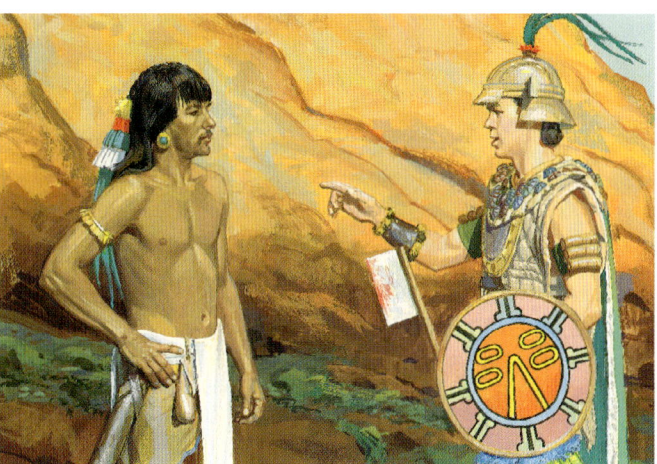

Moroni le ordenó a Zerahemna que le entregara las armas de guerra; dijo que no los matarían si prometían que nunca más pelearían contra los nefitas. *Alma 44:5–6.*

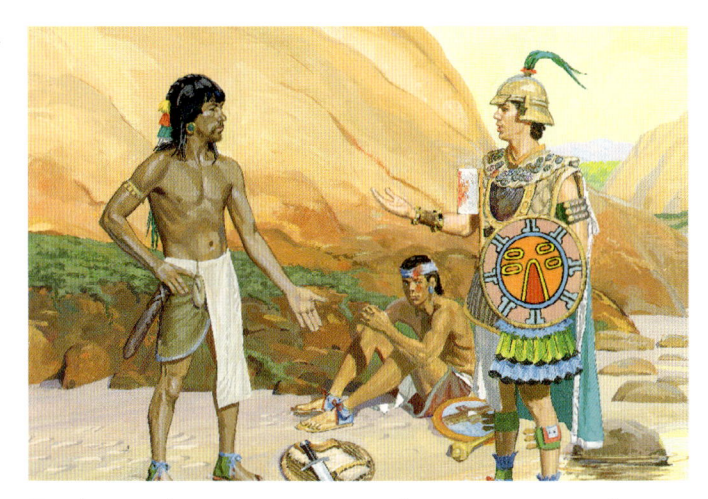

Zerahemna le entregó a Moroni las armas pero no le prometió que no volverían a luchar contra ellos. Moroni le devolvió las armas para que los lamanitas pudieran defenderse.
Alma 44:8, 10.

Zerahemna se lanzó hacia Moroni para matarlo, pero un soldado nefita le dio un golpe a la espada de Zerahemna y la quebró.
Alma 44:12.

Entonces el soldado le cortó a Zerahemna el cuero cabelludo, lo colocó en la punta de su espada y la levantó en alto. *Alma 44:12–13.*

Les dijo que los lamanitas caerían del mismo modo que el cuero cabelludo había caído a tierra, a menos que entregaran sus armas y prometieran que no volverían a luchar. *Alma 44:14.*

Muchos lamanitas colocaron sus armas a los pies de Moroni y prometieron que no volverían a luchar. Se les permitió irse en libertad. *Alma 44:15.*

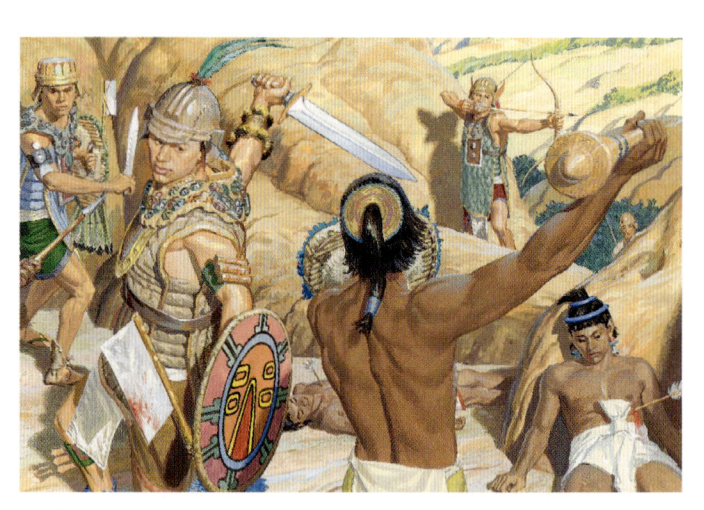

Enfurecido, Zerahemna incitó al resto de los soldados a luchar. Los soldados de Moroni mataron a muchos de ellos. *Alma 44:16–18.*

Cuando Zerahemna vio que él y sus hombres estaban a punto de ser destruidos, le suplicó a Moroni que les perdonara la vida; prometió que nunca más lucharía contra los nefitas. *Alma 44:19.*

Moroni detuvo la lucha y tomó las armas de los lamanitas. Una vez que hicieron la promesa de no luchar, los lamanitas se marcharon. *Alma 44:20, 23.*

EL CAPITÁN MORONI Y EL ESTANDARTE DE LA LIBERTAD

Capítulo 32

Amalickíah, un hombre malo, deseaba ser rey de los nefitas. Muchos nefitas dejaron la Iglesia para seguirlo. *Alma 46:1, 4–5, 7.*

Si Amalickíah llegaba a ser rey, trataría de destruir la Iglesia de Dios y de quitarle la libertad al pueblo. *Alma 46:9–10.*

Cuando el capitán Moroni, el líder de los ejércitos nefitas, se enteró del plan de Amalickíah de convertirse en rey, se enojó. *Alma 46:11.*

Moroni rasgó su túnica para hacer una especie de bandera; sobre ella escribió un mensaje para recordar a la gente que debía defender su religión, su libertad y su paz. *Alma 46:12.*

Moroni puso la bandera en un asta y la llamó el estandarte de la libertad; luego, vestido con su armadura, se arrodilló a orar. *Alma 46:13.*

Le pidió a Dios que protegiera a los que creían en Jesucristo y rogó por la libertad de esa tierra, llamándola una tierra de libertad. *Alma 46:16–18.*

Moroni fue entre el pueblo, haciendo ondear en el aire el estandarte de la libertad, alentándolos a congregarse y ayudar a proteger su libertad. *Alma 46:19–20.*

Llegó gente de todas partes del país; prometieron obedecer los mandamientos de Dios y luchar por conservar su libertad. *Alma 46:21–22, 28.*

Cuando Amalickíah vio el gran número de nefitas que se habían unido a Moroni, tuvo miedo. Él y sus seguidores partieron con el fin de unirse a los lamanitas. *Alma 46:29–30.*

Moroni y su ejército trataron de detenerlos, pero Amalickíah y algunos de sus hombres escaparon. *Alma 46:31–33.*

Moroni colocó un estandarte de la libertad sobre todas las torres de la tierra nefita. Los nefitas habían conservado su libertad y de nuevo gozaban de paz. *Alma 46:36–37.*

LOS REALISTAS CONTRA LOS HOMBRES LIBRES

Capítulo 33

Algunos nefitas querían que el juez superior, Pahorán, cambiara algunas de las leyes. *Alma 51:2–3.*

Cuando Pahorán se negó a hacerlo, el pueblo se enojó y querían quitarlo de su puesto como juez superior. Ellos querían tener un rey en vez de jueces. *Alma 51:3–5.*

A esos hombres se les llamó realistas; ellos tenían la esperanza de que alguno de ellos llegara a ser rey y tuviera poder sobre el pueblo. *Alma 51:5, 8.*

A los nefitas que querían conservar a Pahorán como juez superior se les llamó hombres libres; ellos deseaban ser libres para vivir y adorar a quien quisieran. *Alma 51:6.*

El pueblo votó para elegir entre los realistas y los hombres libres. La mayoría votó por los hombres libres. *Alma 51:7.*

Al mismo tiempo, Amalickíah se encontraba reuniendo un gran ejército de lamanitas para atacar a los nefitas.
Alma 51:9.

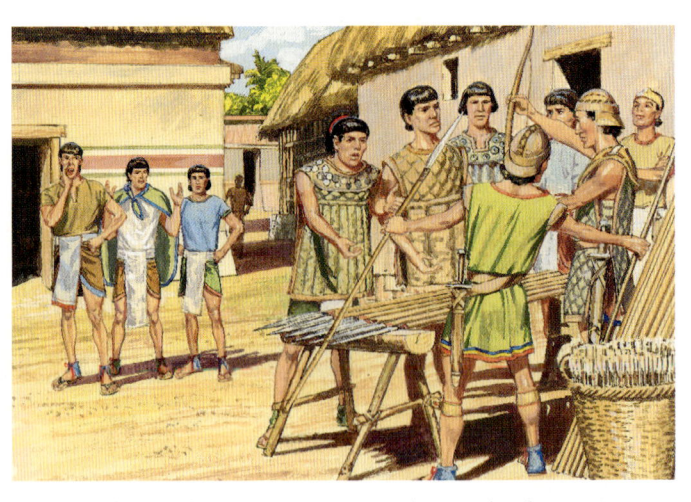

Cuando los realistas se enteraron de que los lamanitas iban a atacarlos, se alegraron y se negaron a pelear para defender su país.
Alma 51:13.

El capitán Moroni se enojó con los realistas porque no querían luchar. Él se había esforzado por mantener libres a los nefitas.
Alma 51:14.

Él le pidió al gobernador poder para obligar a los realistas a pelear contra los lamanitas o para quitarles la vida.
Alma 51:15.

Cuando el gobernador Pahorán le concedió ese poder, Moroni marchó con su ejército contra los realistas.
Alma 51:16–18.

Muchos realistas murieron; algunos fueron encarcelados. El resto decidió defender su país contra los lamanitas.
Alma 51:19–20.

HELAMÁN Y LOS DOS MIL JÓVENES GUERREROS

Capítulo 34

El pueblo de Ammón le había prometido a Dios que jamás volverían a pelear. Ellos vivían cerca de los nefitas, y éstos los protegían. *Alma 53:10–12.*

Cuando los enemigos del pueblo de Ammón atacaron a los nefitas, el pueblo de Ammón sintió el deseo de romper su promesa y ayudar a defender a los nefitas. *Alma 53:13.*

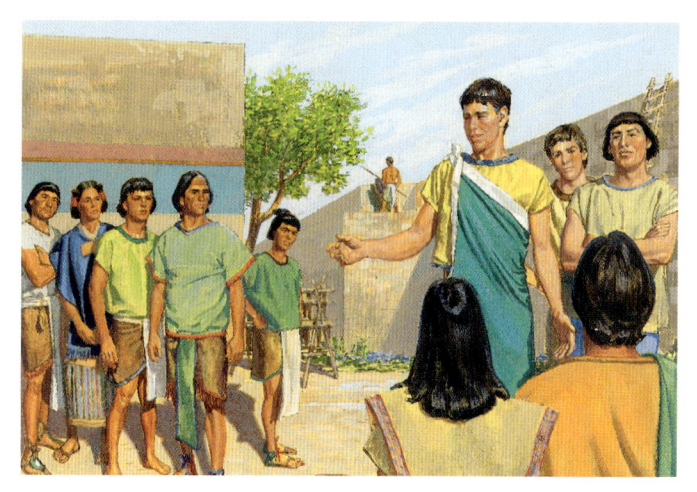

Helamán y los otros líderes nefitas no querían que los del pueblo de Ammón quebrantaran la promesa que le habían hecho a Dios. *Alma 53:14–15.*

Los jóvenes hijos del pueblo de Ammón no habían hecho esa promesa; ellos deseaban ayudar al ejército nefita a luchar por la libertad. *Alma 53:16–17.*

Dos mil de estos jóvenes decidieron defender su país; le pidieron a Helamán que fuera su líder. *Alma 53:18–19.*

Estos jóvenes eran valientes, intrépidos y fuertes; también eran honrados y dignos de confianza, y guardaban los mandamientos de Dios. *Alma 53:20–21.*

Helamán marchó al frente de sus dos mil soldados jóvenes; los llamaba sus hijos, y ellos lo llamaban su padre. *Alma 53:22; 56:46.*

Aunque los hijos de Helamán jamás habían estado en el campo de batalla, no tenían miedo. Sus madres les habían enseñado a tener fe en Dios y a saber que Él les ayudaría. *Alma 56:47.*

Helamán y su ejército lucharon varias batallas en contra de los lamanitas. Estos jóvenes obedecían todas las órdenes que les daba Helamán. *Alma 57:19–21.*

Lucharon valientemente y ayudaron a hacer retroceder al enemigo. Después de la batalla, Helamán descubrió que todos sus hijos habían sido heridos, pero que ninguno había perdido la vida. *Alma 57:22, 25.*

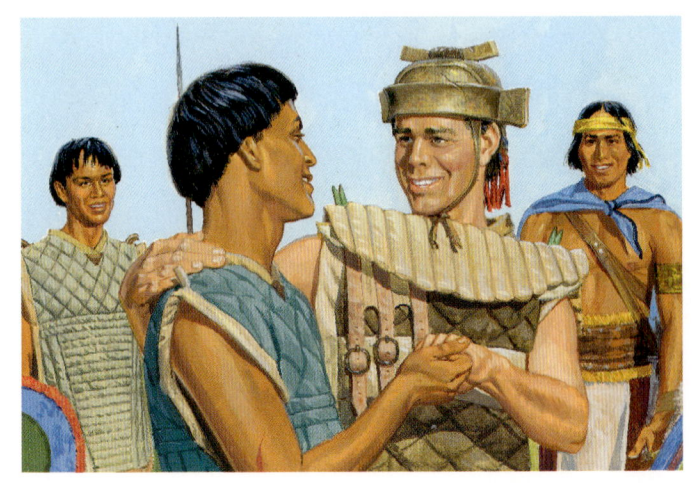

Fue un milagro. Helamán se sentía muy feliz; sabía que esos jóvenes habían sido protegidos por la gran fe que tenían en Dios. *Alma 57:26–27.*

EL CAPITÁN MORONI Y PAHORÁN

Capítulo 35

El capitán Moroni se sintió feliz cuando supo que Helamán y su ejército habían recuperado gran parte de las tierras nefitas que los lamanitas les habían quitado.
Alma 59:1.

Pero Helamán y su ejército necesitaban ayuda; ellos no tenían suficientes soldados para defender tantas ciudades.
Alma 58:32.

El capitán Moroni le escribió una carta a Pahorán, el juez superior y gobernador; le pidió que enviara más soldados para ayudar al ejército de Helamán. *Alma 59:3.*

Los lamanitas atacaron una ciudad nefita que Helamán había recuperado; mataron a muchos nefitas y persiguieron al resto, haciéndolos huir de la ciudad.
Alma 59:5–8.

Moroni, enojado con los líderes del gobierno porque no habían enviado ayuda, escribió otra carta a Pahorán.
Alma 59:13; 60:1.

El capitán Moroni escribió que muchos habían muerto porque Pahorán no había enviado más soldados.
Alma 60:5.

Si Pahorán no enviaba hombres y alimentos de inmediato, Moroni iría con su ejército a Zarahemla y tomaría lo que el ejército necesitaba. *Alma 60:34–35.*

Al poco tiempo, Moroni recibió una carta de Pahorán, el cual se sentía muy triste de que Moroni y sus ejércitos estuvieran sufriendo. *Alma 61:1–2.*

Pahorán le decía a Moroni que un grupo de nefitas inicuos llamados realistas no querían que él fuera juez superior; a él y a sus seguidores los habían obligado a salir de Zarahemla. *Alma 61:3–5.*

Pahorán agregaba que estaba juntando un ejército para tratar de recuperar la ciudad de Zarahemla.
Alma 61:6–7.

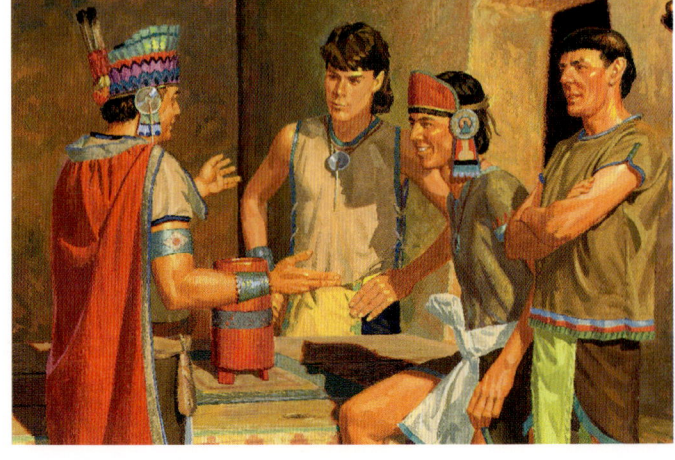

Los realistas habían elegido un rey para que fuese su líder y se habían unido a los lamanitas. *Alma 61:8.*

96

Pahorán no estaba enojado por lo que Moroni había escrito; él también deseaba la libertad de los nefitas.
Alma 61:9.

Le pidió a Moroni que llevara algunos hombres para ayudarle, agregando que si Moroni reunía más hombres en el camino, el ejército combinado podría recuperar Zarahemla. *Alma 61:15–18.*

El capitán Moroni se alegró de que Pahorán aún fuese leal a su país y de que aún deseara la libertad de su pueblo.
Alma 62:1.

Con algunos de sus hombres, Moroni fue a encontrarse con Pahorán; llevaba el estandarte de la libertad y en el camino se unieron a ellos miles de hombres.
Alma 62:3–5.

Los ejércitos combinados de Moroni y de Pahorán marcharon contra Zarahemla; mataron al rey de los nefitas inicuos y capturaron a sus hombres. *Alma 62:7–8.*

Entonces Moroni envió alimentos y 12.000 soldados para ayudar a los ejércitos nefitas; estos ejércitos echaron a los lamanitas del país y de nuevo reinó la paz en la tierra.
Alma 62:12–13, 38–42.

97

HAGOT

Capítulo 36

Aproximadamente 55 años antes del nacimiento de Jesucristo, miles de hombres, mujeres y niños nefitas salieron de Zarahemla y viajaron hacia el norte.
Alma 63:4.

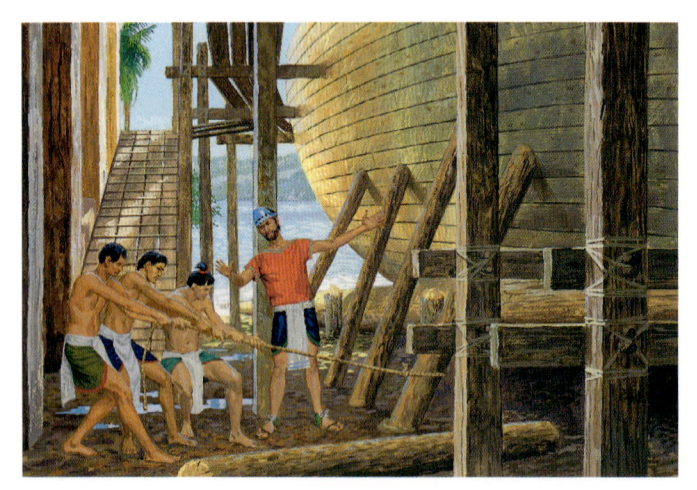

Uno de ellos, llamado Hagot, construyó un barco muy grande y lo echó al mar del oeste. *Alma 63:5.*

Muchos nefitas tomaron comida y otras provisiones y salieron en ese barco hacia el norte. *Alma 63:6.*

Entonces Hagot construyó otros barcos que llevaron a mucha gente a la tierra del norte. El primer barco volvió y recogió a muchas más personas. *Alma 63:7.*

Otro barco también se hizo a la vela. Ninguno de los barcos regresó y los nefitas nunca supieron lo que le ocurrió a la gente. *Alma 63:8.*

NEFI Y LEHI SON ENCARCELADOS

Capítulo 37

Nefi y Lehi eran hijos de Helamán; Helamán deseaba que ellos fueran rectos al igual que el Lehi y el Nefi que salieron de Jerusalén. *Helamán 5:4–7.*

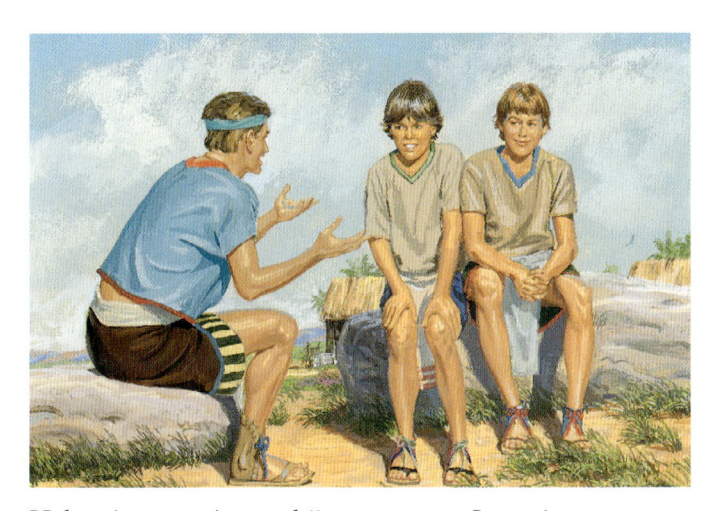

Helamán enseñó a sus hijos a creer en Jesucristo; aprendieron que el perdón se obtiene mediante la fe y el arrepentimiento. *Helamán 5:9–12.*

Nefi y Lehi salieron a predicar la palabra de Dios a los nefitas y a los lamanitas; miles de personas fueron bautizadas. *Helamán 5:14–19.*

Cuando Nefi y Lehi fueron a la tierra de Nefi, un ejército lamanita los echó en la prisión sin darles alimento durante muchos días. *Helamán 5:20–22.*

Los lamanitas fueron a la cárcel a matar a Nefi y a Lehi, pero no pudieron hacerlo porque éstos estaban protegidos por un círculo de fuego que quemaba a cualquiera que tratara de tocarlos. *Helamán 5:22–23.*

99

A Nefi y a Lehi no los quemaba el fuego y dijeron a los lamanitas que el poder de Dios los protegía.

Helamán 5:24–26.

La tierra y los muros de la prisión empezaron a sacudirse; una nube de obscuridad cubrió a los que estaban en la prisión y sintieron temor. *Helamán 5:27–28.*

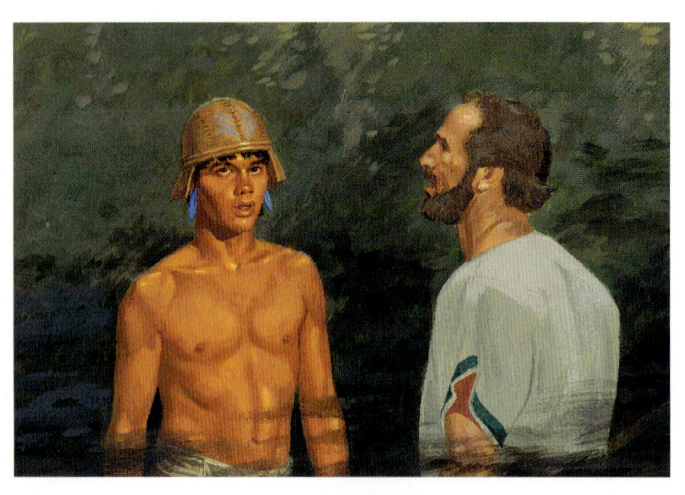

Por encima de la nube de tinieblas se oyó una voz; era como un susurro, pero todos podían oírla.

Helamán 5:29–30.

La voz les dijo que se arrepintieran y dejaran de intentar matar a Nefi y a Lehi. *Helamán 5:29–30.*

La voz habló tres veces, y la tierra y los muros de la prisión continuaron sacudiéndose. Los lamanitas no podían huir a causa de la obscuridad y del gran temor que sentían. *Helamán 5:33–34.*

Un nefita que había sido miembro de la Iglesia vio que el rostro de Nefi y el de Lehi brillaban a través de la obscuridad. *Helamán 5:35–36.*

Nefi y Lehi estaban mirando hacia el cielo y hablaban; el hombre dijo a los lamanitas que miraran y ellos se preguntaban con quién conversarían Nefi y Lehi.

Helamán 5:36–38.

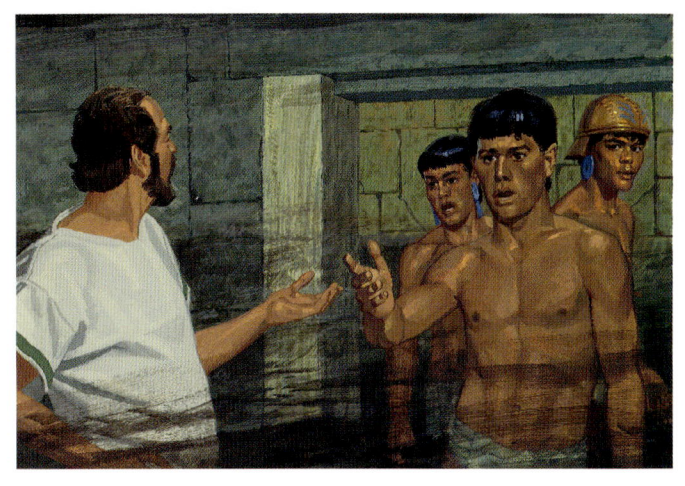

El hombre, que se llamaba Amínadab, dijo a los lamanitas que Nefi y Lehi conversaban con ángeles.

Helamán 5:39.

Los lamanitas preguntaron a Amínadab qué podían hacer para que se quitase la nube de tinieblas; él les dijo que se arrepintieran y oraran hasta que tuvieran fe en Jesucristo. *Helamán 5:40–41.*

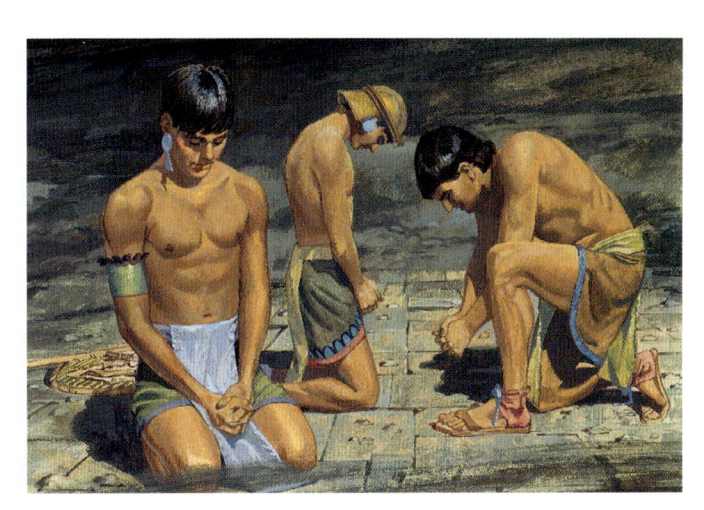

Los lamanitas oraron hasta que se dispersó la nube de tinieblas. *Helamán 5:42.*

Cuando se disipó la obscuridad, vieron que todos ellos estaban rodeados por una columna de fuego; el fuego no los quemaba ni a ellos ni los muros de la prisión.

Helamán 5:43–44.

Los lamanitas sintieron gran gozo y el Espíritu de Dios llenó sus corazones. *Helamán 5:44–45.*

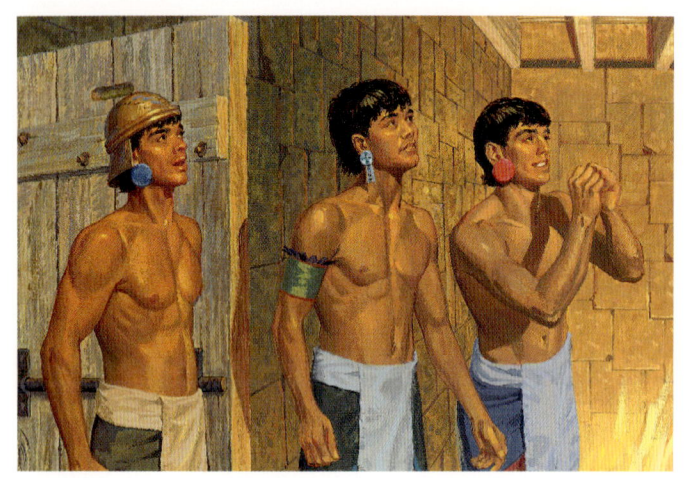

El susurro de una voz dijo que serían consolados a causa de su fe en Jesucristo. *Helamán 5:46–47.*

Los lamanitas miraron hacia arriba para ver de dónde provenía la voz y vieron ángeles descender del cielo. *Helamán 5:48.*

Unas 300 personas vieron y oyeron lo que ocurrió en la prisión; ellas salieron para darlo a conocer a los demás. *Helamán 5:49–50.*

La mayoría de los lamanitas les creyeron y abandonaron sus armas de guerra. *Helamán 5:50–51.*

Los lamanitas dejaron de odiar a los nefitas y les devolvieron sus tierras. Los lamanitas llegaron a ser más justos que los nefitas. *Helamán 5:50, 52.*

Muchos lamanitas salieron con Nefi y con Lehi a enseñar tanto a los nefitas como a los lamanitas. *Helamán 6:1, 6–7.*

EL ASESINATO DEL JUEZ SUPERIOR

Capítulo 38

Hombres inicuos se convirtieron en jueces de los nefitas; ellos castigaban a los justos pero no a los malvados. *Helamán 7:4–5.*

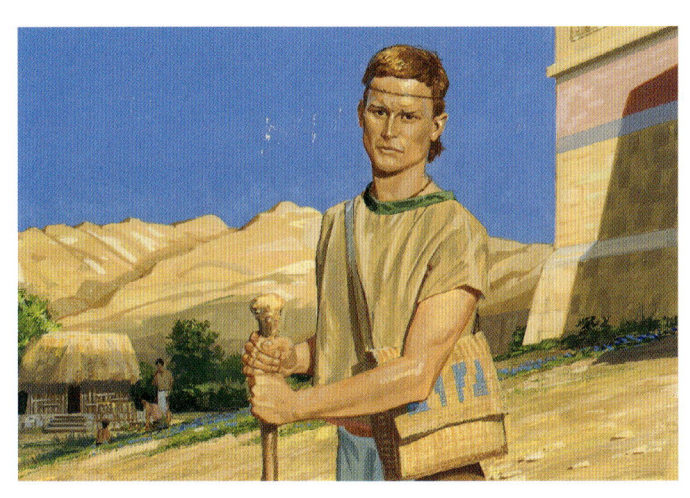

Nefi estaba triste al ver tanta iniquidad entre el pueblo. *Helamán 7:6–7.*

Un día se encontraba orando en una torre que había en su jardín; dicho jardín estaba cerca del camino que conducía al mercado de Zarahemla. *Helamán 7:10.*

La gente que pasaba por el camino oyó a Nefi orar; un grupo numeroso de personas se congregó, preguntándose por qué estaría él tan triste. *Helamán 7:11.*

Al ver a la gente, Nefi les dijo que estaba triste debido a las iniquidades de ellos y les dijo que se arrepintieran. *Helamán 7:12–14, 17.*

103

Les advirtió que si no se arrepentían, podrían perder sus hogares y sus ciudades a manos de sus enemigos, y que el Señor no les ayudaría a luchar contra ellos.
Helamán 7:22.

Nefi dijo que los nefitas eran más inicuos que los lamanitas porque a los nefitas se les habían enseñado los mandamientos pero no los obedecían. *Helamán 7:24.*

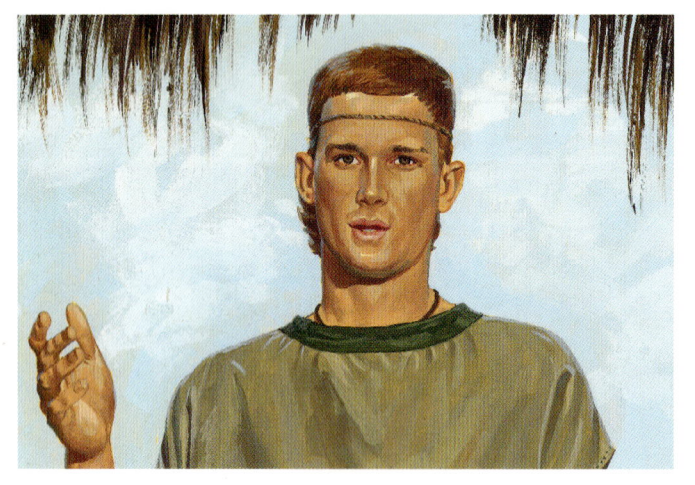

Dijo que si los nefitas no se arrepentían, serían destruidos. *Helamán 7:28.*

Algunos de los jueces inicuos estaban presentes; ellos querían que la gente castigara a Nefi por hablar en contra de ellos y de sus leyes. *Helamán 8:1–4.*

Algunos estuvieron de acuerdo con los jueces inicuos. Otros creyeron a Nefi; ellos sabían que él era profeta y que hablaba la verdad. *Helamán 8:7–9.*

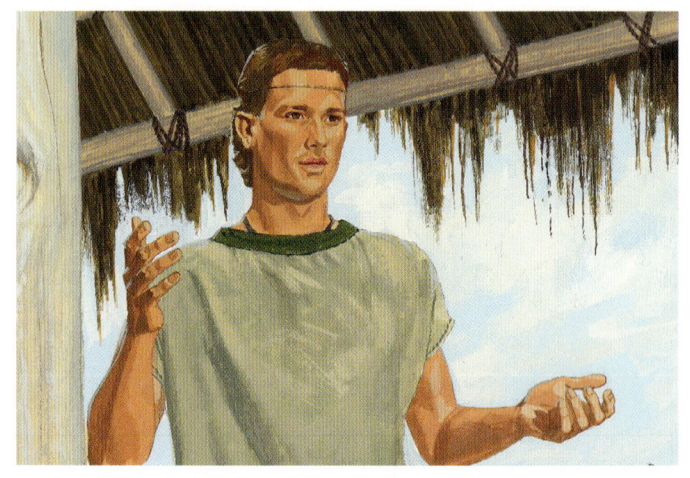

Nefi dijo a la gente que ellos se habían rebelado contra Dios y que muy pronto serían castigados si no se arrepentían. *Helamán 8:25–26.*

Nefi dijo a la gente que fuera en busca del juez superior; que éste estaría tendido sobre su propia sangre, asesinado por un hermano que ambicionaba su puesto.
Helamán 8:27.

Cinco hombres que estaban entre la multitud corrieron a ver al juez superior. Ellos no creían que Nefi fuera un profeta de Dios.
Helamán 9:1–2.

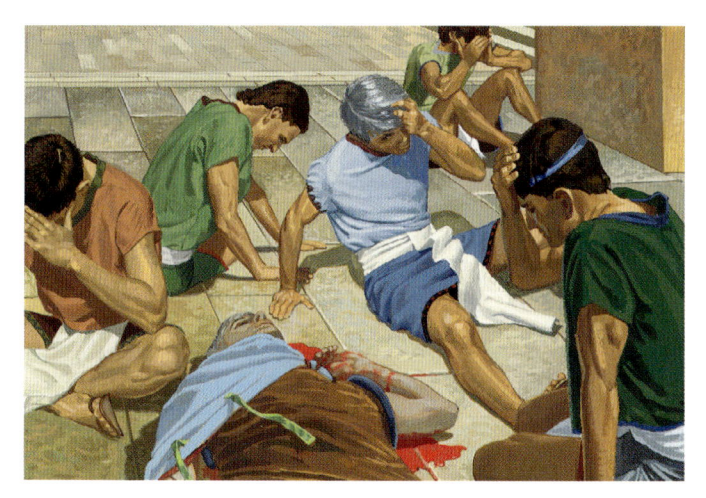

Al ver a Seezóram, el juez superior, que estaba tendido encima de su propia sangre, cayeron al suelo llenos de miedo. Ahora sabían que Nefi era profeta.
Helamán 9:3–5.

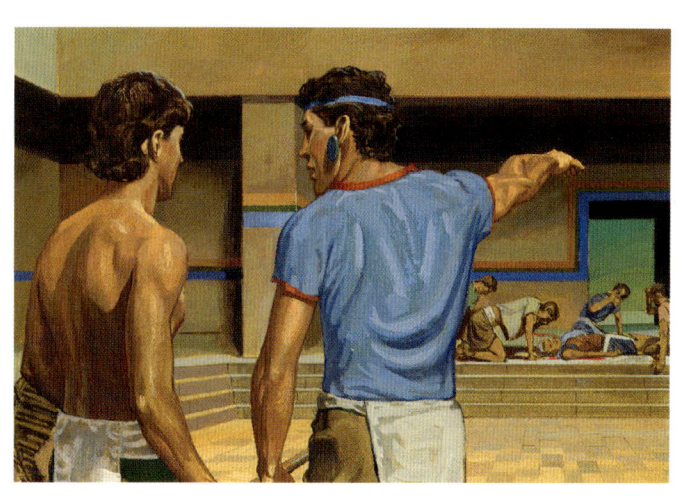

Los siervos de Seezóram ya lo habían encontrado muerto y habían corrido a contárselo al pueblo. Cuando regresaron encontraron a los cinco hombres que habían caído allí.
Helamán 9:6–7.

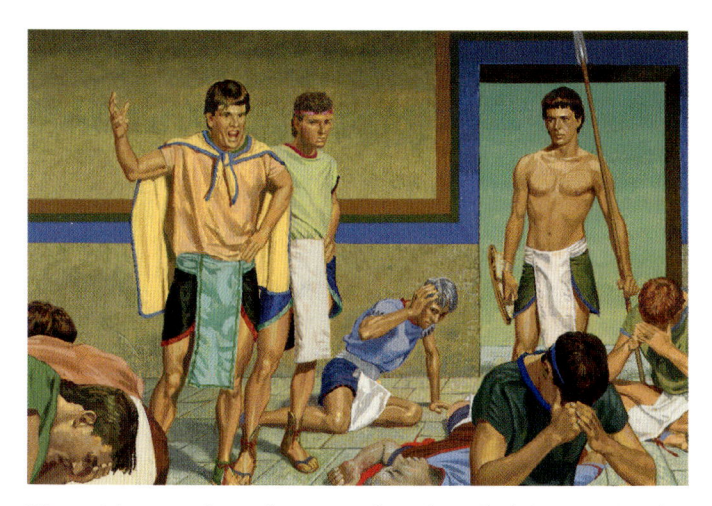

El pueblo pensó que los cinco hombres habían asesinado a Seezóram.
Helamán 9:8.

Encarcelaron a los cinco hombres y luego mandaron proclamar por la ciudad que el juez superior había sido asesinado y que los asesinos estaban encarcelados.
Helamán 9:9.

Al día siguiente, la gente fue al lugar en donde darían sepultura al juez superior. Los jueces que habían estado en el jardín de Nefi preguntaron dónde estaban los cinco hombres. *Helamán 9:10–12.*

Los jueces pidieron que les llevaran a los cinco hombres acusados de asesinato. *Helamán 9:13.*

Los cinco hombres acusados de asesinato eran los que habían corrido desde el jardín de Nefi hasta donde estaba el juez superior. *Helamán 9:13.*

Los cinco hombres dijeron que habían encontrado al juez superior, que estaba tendido sobre su sangre, tal como Nefi había dicho. Entonces los jueces acusaron a Nefi de haber enviado a alguien para asesinar a Seezóram. *Helamán 9:15–16.*

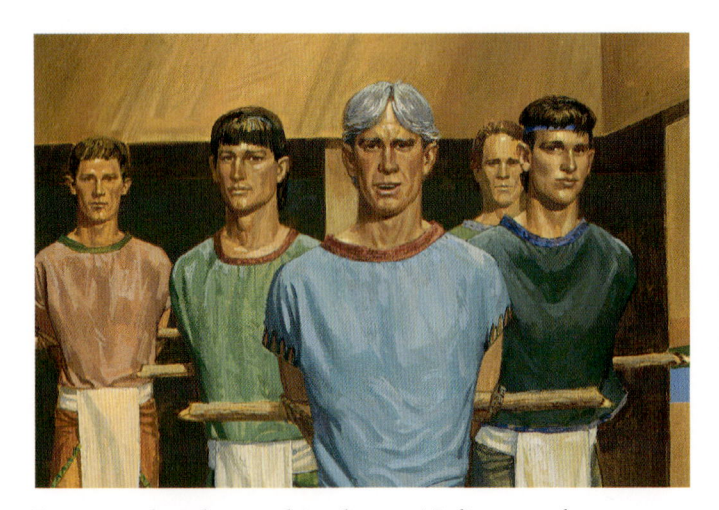

Los cinco hombres, sabiendo que Nefi era profeta, discutieron con los jueces, pero éstos no los escucharon y mandaron atar a Nefi. *Helamán 9:18–19.*

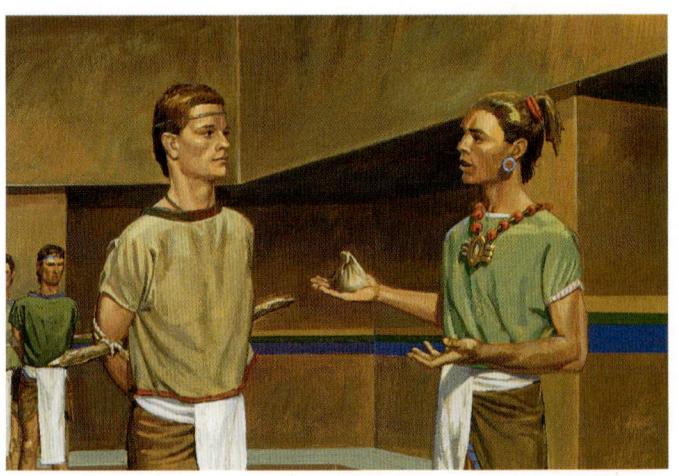

Los jueces le ofrecieron a Nefi dinero y su vida si decía que había tomado parte en un plan para asesinar al juez superior. *Helamán 9:20–21.*

106

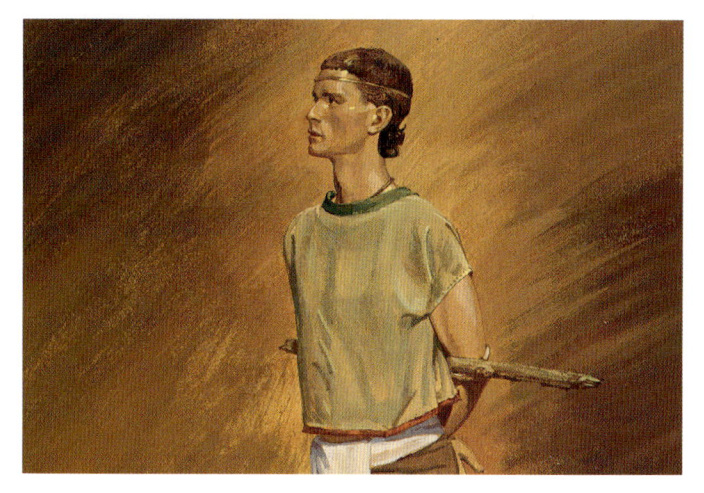

Nefi dijo a los jueces que se arrepintieran de sus iniquidades; luego les dijo que fueran a la casa de Seántum, el hermano de Seezóram. *Helamán 9:22, 26.*

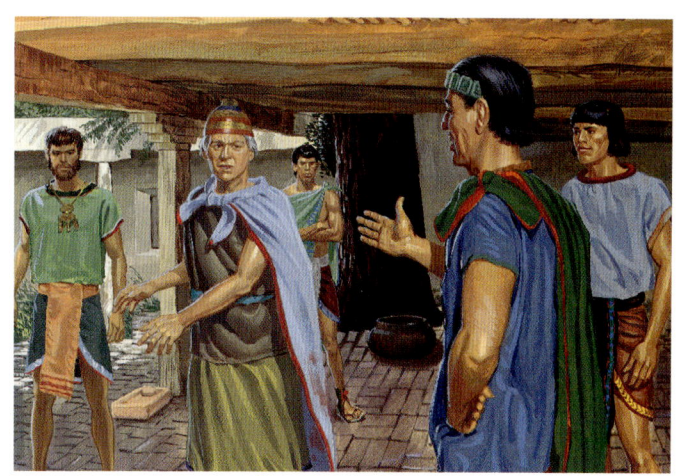

Nefi les dijo que preguntaran a Seántum si él y Nefi habían planeado asesinar a Seezóram. Nefi dijo que Seántum les diría que "no". *Helamán 9:27–28.*

Luego los jueces habrían de preguntarle a Seántum si él había matado a su hermano. Seántum volvería a decir que "no", pero los jueces encontrarían sangre en su manto. *Helamán 9:29–31.*

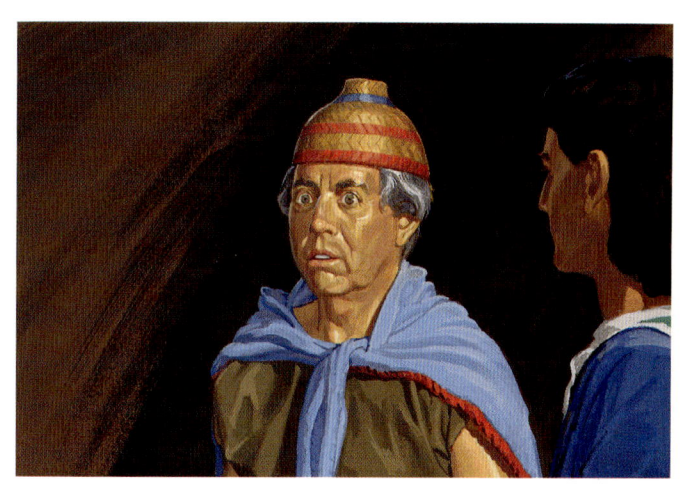

Nefi dijo que Seántum temblaría y se pondría pálido y que finalmente confesaría haber matado a su hermano. *Helamán 9:33–35.*

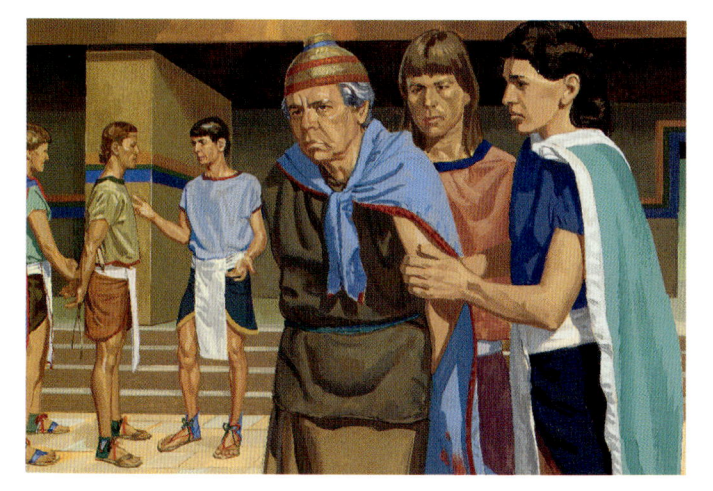

Los jueces fueron a la casa de Seántum, y todo sucedió como Nefi les había dicho. Nefi y los cinco hombres fueron puestos en libertad. *Helamán 9:37–38.*

Al alejarse la gente, algunos dijeron que Nefi era profeta; otros que era un dios. Nefi se fue a casa, afligido aún por la iniquidad de ellos. *Helamán 9:40–41; 10:2–3.*

107

NEFI RECIBE GRAN PODER

Capítulo 39

Nefi se dirigió a casa, meditando en lo que el Señor le había mostrado y en la iniquidad de los nefitas; se sentía triste por la iniquidad de ellos. *Helamán 10:1–3.*

El Señor le habló a Nefi y lo alabó por su obediencia y por trabajar tan diligentemente para enseñar el Evangelio. *Helamán 10:4.*

A Nefi le fue dado el poder para hacer cualquier cosa. El Señor sabía que él utilizaría ese poder con rectitud. *Helamán 10:5.*

El Señor le dijo a Nefi que declarara a los nefitas que si no se arrepentían, serían destruidos. Nefi fue de inmediato a advertirle a la gente. *Helamán 10:11–12.*

Los nefitas no le creyeron a Nefi; trataron de arrojarlo en la prisión, pero el poder de Dios lo protegió. *Helamán 10:15–16.*

Nefi declaró la palabra de Dios a todos los nefitas.
Helamán 10:17.

Pero la gente se hizo aún más inicua y empezaron a luchar unos con otros.
Helamán 11:1.

Nefi oró para que hubiera hambre sobre la tierra, con la esperanza de que la carencia de alimentos hiciera que los nefitas se humillaran y se arrepintieran.
Helamán 11:3–4.

Llegó el hambre; no hubo lluvia y la tierra se secó y no produjo grano. La gente dejó de luchar.
Helamán 11:5–6.

Los nefitas tenían hambre y muchos de ellos murieron. Los que quedaron vivos empezaron a recordar al Señor y lo que Nefi les había enseñado.
Helamán 11:6–7.

El pueblo se arrepintió de sus pecados y le suplicaron a los jueces que le pidieran a Nefi que acabara el hambre. Los jueces acudieron a Nefi.
Helamán 11:8–9.

109

Cuando Nefi vio que los del pueblo se habían humillado y arrepentido, le pidió al Señor que terminara el hambre. *Helamán 11:9–12.*

El Señor contestó la oración de Nefi y comenzó a llover; al poco tiempo volvieron a tener cosechas. El pueblo glorificó a Dios y supo que Nefi era un gran profeta. *Helamán 11:17–18.*

La mayoría de los nefitas se unieron a la Iglesia; se hicieron ricos y sus ciudades progresaron; y hubo paz en la tierra. *Helamán 11:20–21.*

Entonces unos nefitas que anteriormente se habían unido a los lamanitas atacaron a los nefitas. *Helamán 11:24.*

Los nefitas trataron de destruir a sus enemigos, que se habían convertido en los ladrones de Gadiantón, pero no pudieron hacerlo, ya que ellos mismos se habían vuelto inicuos otra vez. *Helamán 11:26, 28–29.*

Cuando los nefitas eran justos, el Señor los bendecía; cuando se llenaban de orgullo y se olvidaban del Señor, les mandaba problemas para que se acordaran de Él. *Helamán 12:1–3.*

SAMUEL EL LAMANITA PROFETIZA EN CUANTO A JESUCRISTO

Capítulo 40

Los lamanitas obedecieron los mandamientos de Dios y llegaron a ser más justos que los nefitas.

Helamán 13:1.

Samuel, un profeta lamanita, fue a Zarahemla a predicar a los nefitas inicuos; les dijo que se arrepintieran.

Helamán 13:2.

Los nefitas echaron a Samuel de la ciudad y él se puso en camino a su propia tierra. *Helamán 13:2.*

Pero el Señor le dijo a Samuel que regresara a Zarahemla y dijera a la gente las cosas que el Señor pusiera en su corazón. *Helamán 13:3.*

Los nefitas no le permitieron a Samuel entrar en la ciudad, de manera que él subió a la muralla y predicó desde allí.

Helamán 13:4.

111

Él profetizó que en 400 años los nefitas serían destruidos a menos que se arrepintieran y tuvieran fe en Jesucristo.

Helamán 13:5–6.

Samuel dijo a los nefitas que Jesucristo nacería en cinco años más y que salvaría a todos los que creyeran en Él.

Helamán 14:2

Samuel les habló en cuanto a las señales del nacimiento de Jesús: que aparecería una estrella nueva y que durante la noche antes de que naciera Jesús no habría obscuridad.

Helamán 14:3–5.

Luego Samuel les habló de las señales de la muerte de Jesús: que habría tres días de absoluta obscuridad; que el sol, la luna y las estrellas no brillarían. *Helamán 14:20.*

Habría además truenos, relámpagos y terremotos; se derrumbarían montañas y muchas ciudades serían destruidas. *Helamán 14:21–24.*

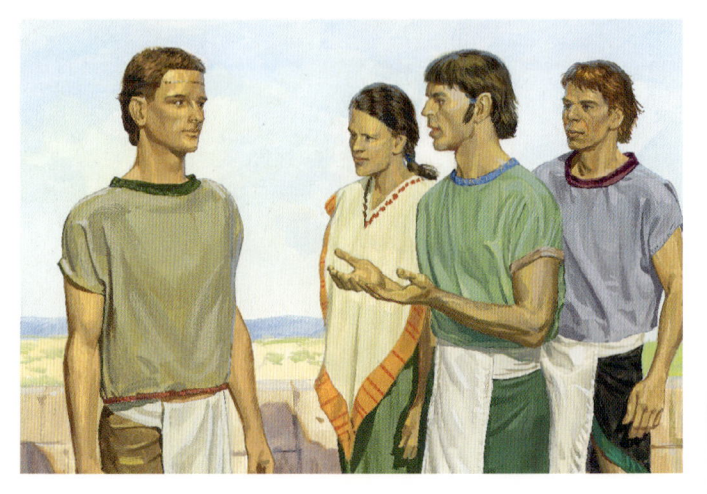

Algunos nefitas creyeron las palabras de Samuel y se arrepintieron de sus pecados; fueron a buscar a Nefi, un nefita justo, para que los bautizara. *Helamán 16:1.*

112

El resto de los nefitas no creyó las palabras de Samuel; le arrojaron piedras y le lanzaron flechas, pero el Señor lo protegió y ninguna de las piedras ni de las flechas lo hirió. *Helamán 16:2.*

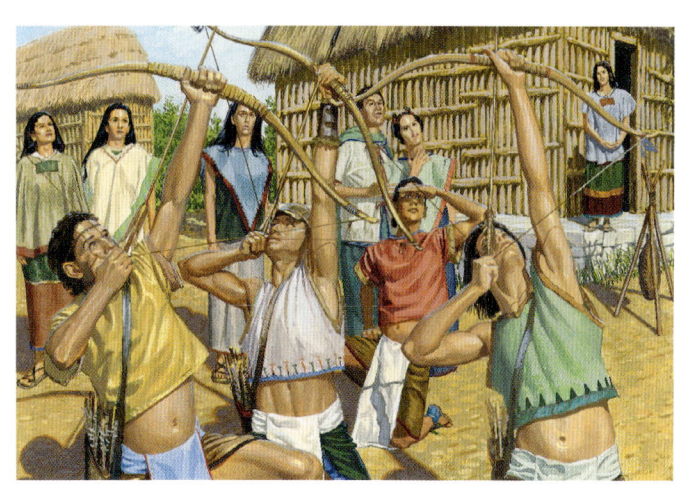

Cuando vieron que no podían herirlo, muchos más creyeron y fueron a ver a Nefi para que los bautizara. *Helamán 16:3.*

Nefi también enseñó a la gente en cuanto a Jesús; deseaba que creyeran en Jesús, que se arrepintieran y que se bautizaran. *Helamán 16:4–5.*

Sin embargo, la mayoría de los nefitas no creyeron en las palabras de Samuel y trataron de capturarlo. *Helamán 16:6.*

Samuel saltó de la muralla y huyó a su propio país. *Helamán 16:7.*

Samuel empezó a predicar entre los lamanitas; nunca más se volvió a saber de él entre los nefitas. *Helamán 16:7–8.*

113

LAS SEÑALES DEL NACIMIENTO DE CRISTO

Capítulo 41

Nefi, el hijo de Helamán, entregó los registros sagrados y las Escrituras a su hijo mayor, Nefi.

3 Nefi 1:2.

Los nefitas vieron grandes señales y milagros que los profetas habían dicho que ocurrirían antes del nacimiento de Jesucristo. 3 Nefi 1:4.

Pero algunos nefitas decían que el tiempo del nacimiento de Jesús ya había pasado; se burlaron de aquellos que aún creían en las profecías de Samuel el Lamanita.

3 Nefi 1:5–6.

Las personas que creían en Jesucristo y en los profetas se pusieron tristes al pensar que tal vez algo impidiera que se llegaran a cumplir las profecías. 3 Nefi 1:7.

La gente esperaba fielmente la noche sin obscuridad, que era la señal de que Jesucristo habría nacido. 3 Nefi 1:8.

114

Los que no creían en Jesucristo fijaron un día en el que matarían a los creyentes si la señal no se cumplía.
3 Nefi 1:9.

Nefi se afligió a causa de la iniquidad de aquellos que no creían en el Salvador. *3 Nefi 1:10.*

Nefi oró todo el día por las personas que iban a perder la vida. *3 Nefi 1:11–12.*

El Señor consoló a Nefi y le dijo que esa noche no habría oscuridad; Jesús nacería al día siguiente en Belén.
3 Nefi 1:13.

Esa noche el sol se puso, pero no obscureció. La señal del nacimiento de Jesucristo había llegado; la gente se asombró. *3 Nefi 1:15.*

Aquellos que tenían pensado matar a los creyentes cayeron a tierra como si estuvieran muertos. *3 Nefi 1:16.*

115

Tuvieron miedo porque habían sido inicuos; ahora sabían que el Salvador nacería y que las palabras de los profetas eran verdaderas. *3 Nefi 1:17–18.*

No hubo obscuridad durante toda la noche; cuando el sol salió a la mañana siguiente, la gente sabía que Jesucristo nacería ese día. Las profecías se habían cumplido. *3 Nefi 1:19–20.*

En el cielo apareció una estrella nueva, tal como lo habían predicho los profetas. *3 Nefi 1:21.*

Satanás aún trató de hacer que las personas no creyeran las señales que habían visto, pero la mayoría creyó. *3 Nefi 1:22.*

Nefi y otros líderes de la Iglesia bautizaron a todos los que creyeron y se arrepintieron. *3 Nefi 1:23.*

Hubo alegres nuevas en la tierra por motivo de que las palabras de los profetas se habían cumplido. Jesucristo había nacido. *3 Nefi 1:26.*

LAS SEÑALES DE LA CRUCIFIXIÓN DE CRISTO

Capítulo 42

Habían pasado treinta y tres años desde que la gente vio las señales del nacimiento de Jesucristo.
3 Nefi 8:2.

Ahora esperaban las señales de Su muerte: tres días de obscuridad. *3 Nefi 8:3.*

Algunos no creían que las señales se llevarían a cabo; empezaron a discutir con los que sí creían. *3 Nefi 8:4.*

Un día se desató una tormenta violenta; el viento era terrible. *3 Nefi 8:5–6.*

Los relámpagos resplandecían y los truenos estremecían toda la tierra. *3 Nefi 8:6–7.*

117

La ciudad de Zarahemla se incendió, la ciudad de Moroni se hundió en las profundidades del mar y la ciudad de Moroníah fue sepultada. *3 Nefi 8:8–10.*

Un terremoto estremeció toda la tierra; los caminos se desnivelaron y los edificios cayeron a tierra. Muchas ciudades quedaron destruidas y muchas personas murieron. *3 Nefi 8:12–15.*

La tempestad y los terremotos duraron aproximadamente tres horas. *3 Nefi 8:19.*

Cuando se acabaron la tormenta y los terremotos, una profunda obscuridad cubrió la tierra. No había luz en ninguna parte; el pueblo hasta podía sentir el vapor de tinieblas. *3 Nefi 8:19–20.*

La obscuridad duró tres días; no podían encenderse velas y la gente no podía ver el sol, ni la luna, ni las estrellas. *3 Nefi 8:21–23.*

El pueblo lloró a causa de la obscuridad, la destrucción y la muerte; se lamentaban por no haberse arrepentido de sus pecados. *3 Nefi 8:23–25.*

Entonces la gente oyó la voz de Jesucristo. *3 Nefi 9:1, 15.*

Jesús les habló acerca de la terrible destrucción de la tierra; dijo que los más inicuos habían sido destruidos. *3 Nefi 9:12–13.*

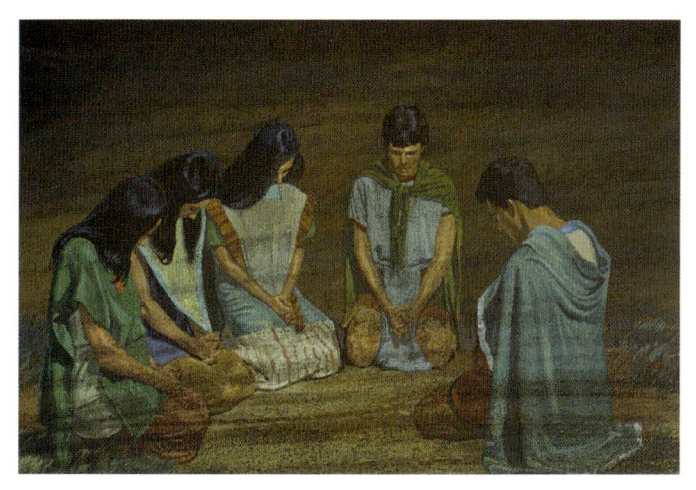

Dijo que era necesario que los que no habían sido destruidos se arrepintieran; si lo hacían y venían a Él, los bendeciría. *3 Nefi 9:13–14.*

La gente estaba tan asombrada después de oír la voz que dejaron de llorar; hubo silencio por el espacio de muchas horas. *3 Nefi 10:1–2.*

Entonces Jesús habló de nuevo y dijo que muchas veces había tratado de ayudar a la gente; si se arrepentían ahora, aún podían volver a Él. *3 Nefi 10:3–6.*

Después de tres días se levantó la obscuridad; la gente se regocijó y con alegría dio gracias al Señor. *3 Nefi 10:9–10.*

119

JESUCRISTO SE APARECE A LOS NEFITAS

Capítulo 43

Muchos nefitas se encontraban reunidos en el templo en la tierra de Abundancia. Les asombraban los grandes cambios que habían ocurrido en el lugar.
3 Nefi 11:1.

Conversaban entre ellos acerca de Jesucristo y de la señal de Su muerte. *3 Nefi 11:2.*

Mientras hablaban, oyeron una voz apacible que venía de los cielos que hizo arder sus corazones. *3 Nefi 11:3.*

Al principio no entendieron la voz, pero cuando la oyeron por tercera vez, la entendieron. *3 Nefi 11:4–6.*

La voz era la del Padre Celestial; presentó a Jesucristo y les dijo que lo escucharan. *3 Nefi 11:7.*

Jesucristo bajó del cielo y se puso en medio de ellos. Ellos tuvieron temor de hablar porque no comprendían lo que estaba sucediendo; pensaban que Jesús era un ángel.

3 Nefi 11:8.

Les dijo que Él era Jesucristo, el que los profetas habían dicho que vendría. *3 Nefi 11:10.*

Jesús les dijo que fueran y tocaran en su costado y en sus manos y sus pies las marcas que le dejaron los clavos cuando fue crucificado. *3 Nefi 11:14.*

Jesús quería que supieran que Él era su Dios y que había muerto por los pecados de ellos. *3 Nefi 11:14.*

Una por una, las personas tocaron las marcas en el costado, en las manos y en los pies de Jesús; supieron que Él era el Salvador. *3 Nefi 11:15.*

Entonces los del pueblo alabaron a Jesús y cayeron a Sus pies y lo adoraron. *3 Nefi 11:17.*

Jesús llamó a Nefi y a otros 11 hombres; les dio el poder del sacerdocio y les enseñó la forma correcta de bautizar.

3 Nefi 11:18, 21–26; 12:1.

Él dijo a los nefitas que creyeran en Él, se arrepintieran y guardaran los mandamientos. Si no lo hacían, no podrían entrar en Su reino. *3 Nefi 12:19–20.*

Enseñó a los nefitas a orar al Padre Celestial; también les enseñó en cuanto al ayuno, y dijo que serían perdonados si se perdonaban unos a otros. *3 Nefi 13:6–18.*

Después de haberles enseñado muchas cosas, Jesús les dijo que regresaran a sus hogares y meditaran y oraran en cuanto a lo que había dicho. *3 Nefi 17:1–3.*

Los nefitas empezaron a llorar; no querían que Jesús se fuese todavía. *3 Nefi 17:5.*

Jesús amaba a los nefitas; les dijo que le llevaran a los que estuviesen enfermos o afligidos para que los sanara. *3 Nefi 17:7.*

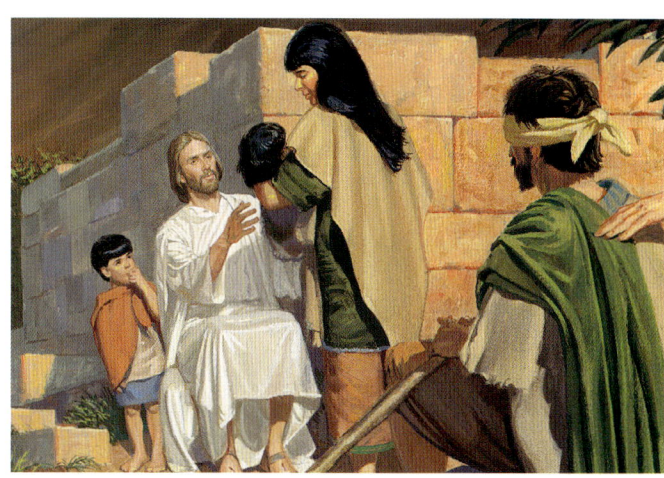

Jesús sanó a esas personas. Todos se arrodillaron ante Él y lo adoraron. *3 Nefi 17:9–10.*

JESUCRISTO BENDICE A LOS NIÑOS

Capítulo 44

Jesucristo mandó a los nefitas que llevaran a sus niños pequeños a Él; los niños se sentaron en el suelo cerca de Jesús.   *3 Nefi 17:11–12.*

El Salvador dijo a los de la multitud que se arrodillaran; luego Él se arrodilló y oró al Padre Celestial.
3 Nefi 17:13, 15.

La oración del Salvador fue tan maravillosa que no se pudo escribir; llenó de gozo a los nefitas.   *3 Nefi 17:15–17.*

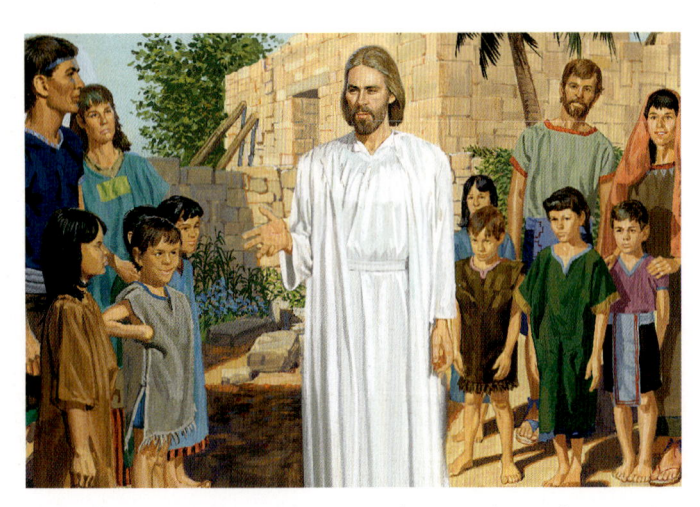

Después que hubo orado, Jesús dijo que los nefitas serían bendecidos a causa de su fe.   *3 Nefi 17:20.*

El gozo y el amor que Él sintió fueron tan grandes que lloró.   *3 Nefi 17:21.*

Luego tomó a los niños, uno por uno, y los bendijo; oró al Padre Celestial por ellos y lloró de nuevo.   *3 Nefi 17:21–22.*

Jesús dijo a los nefitas que miraran a sus hijos.

3 Nefi 17:23.

Mientras la gente miraba, bajaron ángeles de los cielos y cercaron a los niños; los niños y los ángeles fueron rodeados de fuego.   *3 Nefi 17:24.*

125

JESUCRISTO ENSEÑA SOBRE LA SANTA CENA Y LA ORACIÓN

Capítulo 45

Jesucristo envió a Sus discípulos a buscar pan y vino; les dijo a los nefitas que se sentaran en el suelo.
3 Nefi 18:1–2.

Cuando los discípulos regresaron, el Salvador partió el pan en trozos y lo bendijo. Les dio a Sus discípulos y les mandó que dieran a las demás personas. 3 Nefi 18:3–4.

Jesús dijo que aquellos que toman la Santa Cena prometen que siempre se acordarán de Él y de Su sacrificio; ellos, a la vez, reciben Su Espíritu. 3 Nefi 18:7.

Jesucristo bendijo el vino y les dio a Sus discípulos; los discípulos dieron vino a la gente. 3 Nefi 18:8.

Jesús dijo que aquellos que toman la Santa Cena prometen guardar Sus mandamientos. 3 Nefi 18:10.

Jesús de nuevo dijo a Sus discípulos que todos los que tomen la Santa Cena y siempre se acuerden de Él, tendrán Su Espíritu. *3 Nefi 18:11.*

Él dijo a Sus discípulos que serían bendecidos si guardaban Sus mandamientos. *3 Nefi 18:14.*

Les dijo que oraran siempre y que lo hicieran de la forma en que lo habían visto a Él hacerlo. *3 Nefi 18:15–16.*

El Salvador les dijo a todos los nefitas que oraran al Padre Celestial en Su nombre; también les mandó que oraran con sus familias. *3 Nefi 18:19, 21.*

Les dijo que debían reunirse con frecuencia; recibir con agrado a aquellos que asistieran a sus reuniones, orar por ellos y ser buenos ejemplos para esas personas. *3 Nefi 18:22–24.*

El Salvador dio a Sus discípulos el poder para conferir el Espíritu Santo. Luego, una nube cubrió a la gente de manera que sólo los discípulos vieron a Jesucristo subir al cielo. *3 Nefi 18:36–39.*

127

JESUCRISTO ENSEÑA A LOS NEFITAS Y ORA CON ELLOS

Capítulo 46

Los nefitas que vieron a Jesucristo dijeron a sus amigos que Él regresaría al día siguiente. Muchas personas hicieron un gran esfuerzo por llegar hasta el lugar en donde Jesús iba a estar. 3 Nefi 19:2–3.

A la mañana siguiente, Nefi y los otros discípulos enseñaron al grupo que se encontraba reunido; luego, los discípulos oraron para que recibieran el Espíritu Santo. 3 Nefi 19:6–9.

Nefi entró en el agua y fue bautizado; luego bautizó a los otros discípulos. 3 Nefi 19:11–12.

Después de haber sido bautizados, los discípulos recibieron el Espíritu Santo. Fueron envueltos como si fuera por fuego, y bajaron ángeles del cielo y les ministraron. 3 Nefi 19:13–14.

Mientras los ángeles se encontraban con los discípulos, el Salvador vino y se puso en medio de ellos. 3 Nefi 19:15.

128

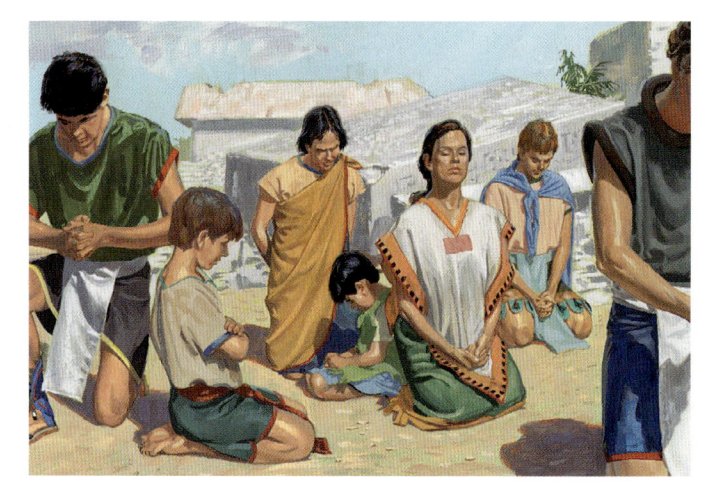

Cristo mandó a todos los nefitas arrodillarse en el suelo; dijo a Sus discípulos que oraran. *3 Nefi 19:16–17.*

Mientras ellos oraban, Jesús se apartó un poco de la gente, se arrodilló y oró a Su Padre Celestial. *3 Nefi 19:18–20.*

Jesús dio las gracias a Su Padre Celestial por haber dado el Espíritu Santo a Sus discípulos. Luego pidió que el Espíritu Santo le fuera dado a cualquiera que creyera las palabras de los discípulos. *3 Nefi 19:20–21.*

Jesús bendijo a Sus discípulos mientras estaban orando; les sonrió y ellos se pusieron tan blancos como el rostro y la vestidura de Él. *3 Nefi 19:25.*

Jesús oró de nuevo por Sus discípulos; estaba complacido por la gran fe de ellos. *3 Nefi 19:29, 35.*

Cristo dijo a la gente que dejaran de orar, pero que continuaran orando en su corazón; entonces les dio la Santa Cena. *3 Nefi 20:1–5.*

Nadie había llevado pan ni vino, pero el Salvador se los proporcionó en forma milagrosa. *3 Nefi 20:6–7.*

Jesucristo dijo a los nefitas que Su Evangelio sería traído de nuevo a la tierra en los últimos días. *3 Nefi 21:1, 3, 7, 9.*

Les dijo que estudiaran las Escrituras, e hizo que Nefi escribiera en el registro acerca del cumplimiento del resto de las profecías de Samuel el Lamanita. *3 Nefi 23:1, 9–13.*

Entonces Jesús enseñó a la gente usando las Escrituras; les dijo que se enseñaran unos a otros las cosas que Él les había enseñado. *3 Nefi 23:14.*

Jesús volvió al cielo y Sus discípulos enseñaron al pueblo. Los que creyeron fueron bautizados y recibieron el Espíritu Santo. *3 Nefi 26:15, 17.*

Los nefitas comenzaron a obedecer todos los mandamientos. *3 Nefi 26:20.*

JESUCRISTO BENDICE A SUS DISCÍPULOS

Capítulo 47

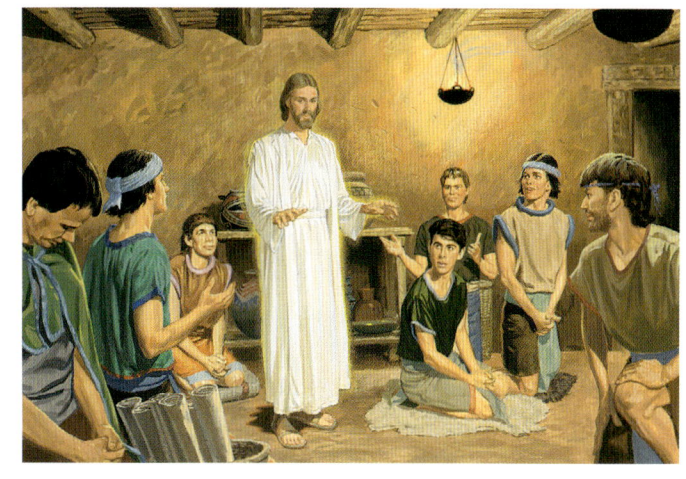

Un día, cuando los discípulos estaban juntos ayunando y orando, Jesucristo se apareció entre ellos.

3 Nefi 27:1–2.

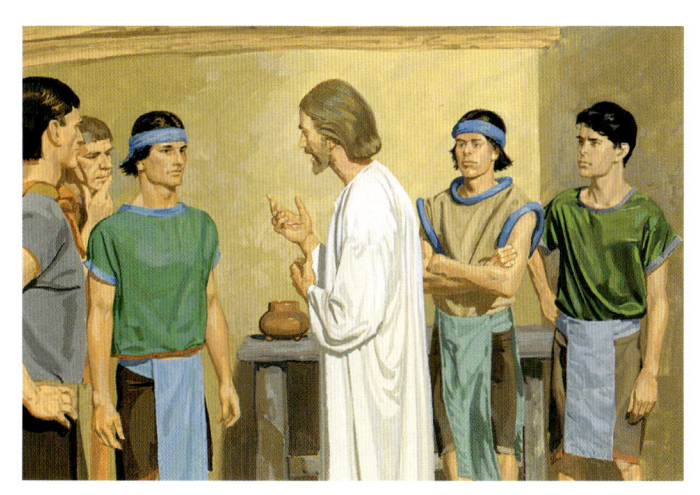

Cuando los discípulos le preguntaron cómo debían llamar a la Iglesia, Jesús dijo que se le debería llamar por Su nombre porque era Su Iglesia. *3 Nefi 27:3, 7.*

Jesús explicó a Sus discípulos que el Padre Celestial lo había enviado a la tierra para dar Su vida por toda la gente. *3 Nefi 27:14.*

Dijo que todo aquel que se arrepiente, se bautiza en Su nombre y obedece Sus mandamientos será hallado sin culpa ante el Padre Celestial. *3 Nefi 27:16.*

El Salvador dijo a Sus discípulos que hicieran las cosas que lo habían visto hacer a Él; Él les había dado el ejemplo. *3 Nefi 27:21.*

También les dijo que escribieran lo que habían visto y oído, para que otras personas pudieran saber de ello.

3 Nefi 27:23–25.

Jesús preguntó a Sus discípulos lo que deseaban de Él. Nueve de ellos desearon estar con Él después de que hubieran terminado su vida en la tierra. 3 Nefi 28:1–2.

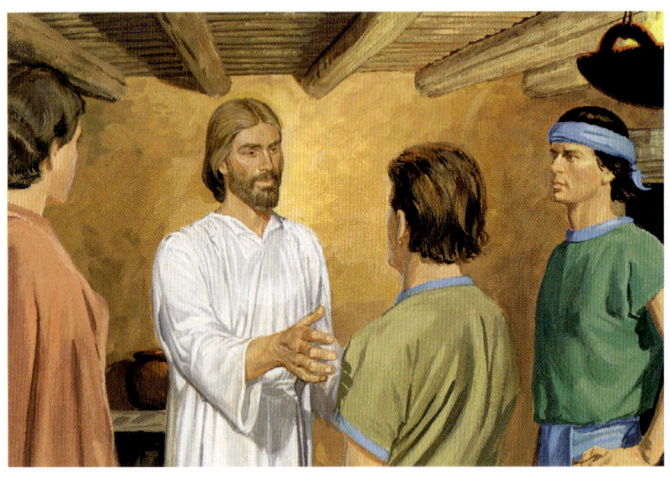

Jesús les prometió que cuando tuvieran 72 años de edad irían a Él en el cielo. 3 Nefi 28:3.

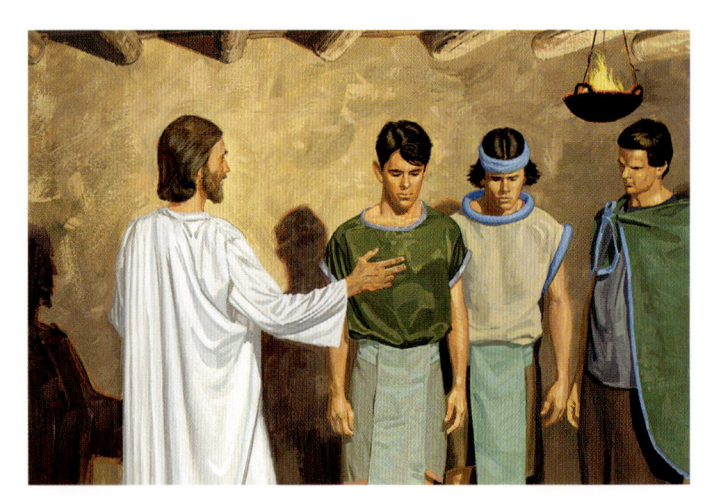

Los otros tres discípulos no se atrevían a pedir lo que deseaban, pero Jesús lo sabía. Ellos querían quedarse en la tierra y predicar el Evangelio hasta que Jesús viniera de nuevo. 3 Nefi 28:5–6, 9.

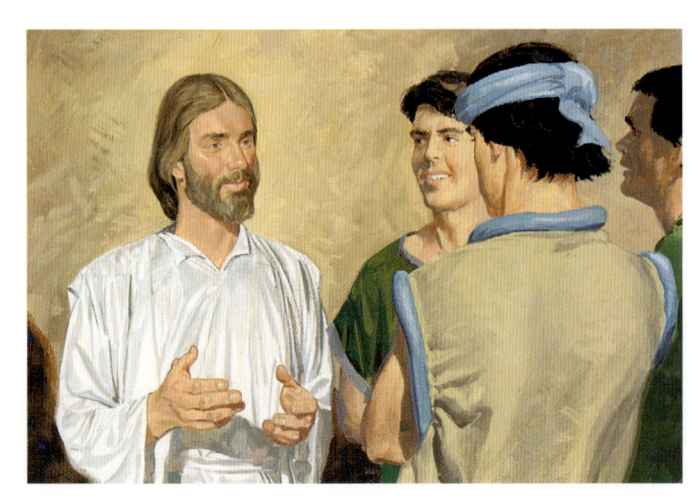

El Salvador les prometió que no sufrirían dolor o aflicción y que no morirían; ellos enseñarían el Evangelio a la gente hasta que Él regresara. 3 Nefi 28:7–9.

Jesús tocó a cada uno de los discípulos, menos a los tres que se quedarían en la tierra. Entonces se fue.

3 Nefi 28:12.

Los tres discípulos fueron llevados al cielo, en donde vieron y escucharon muchas cosas maravillosas. Ellos pudieron entender mejor las cosas de Dios.

3 Nefi 28:13, 15.

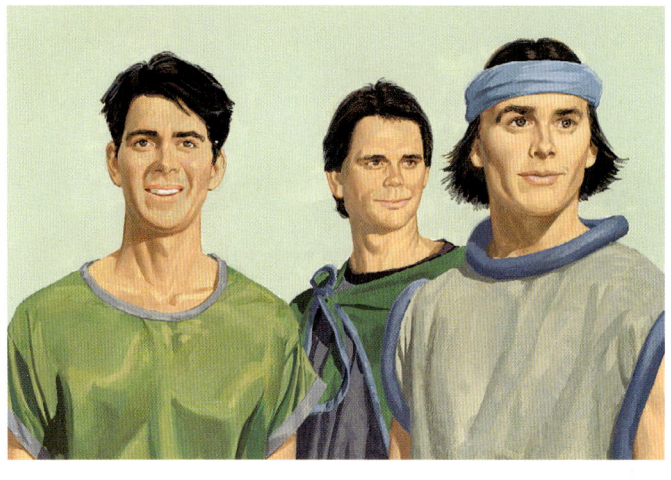

Sus cuerpos experimentaron un cambio para que no murieran. *3 Nefi 28:15.*

Los tres discípulos regresaron a la tierra y empezaron a predicar y a bautizar. *3 Nefi 28:16, 18.*

Los nefitas inicuos arrojaron a los tres discípulos en la prisión y en fosos profundos, pero el poder de Dios les ayudó a escapar. *3 Nefi 28:19–20.*

Cuando fueron arrojados a hornos ardientes y a fosos de animales salvajes, también recibieron la protección del poder de Dios. *3 Nefi 28:21–22.*

Los tres discípulos continuaron predicando el Evangelio de Jesucristo a los nefitas. Todavía se encuentran predicando Su Evangelio. *3 Nefi 28:23, 27–29.*

Cristo visita América

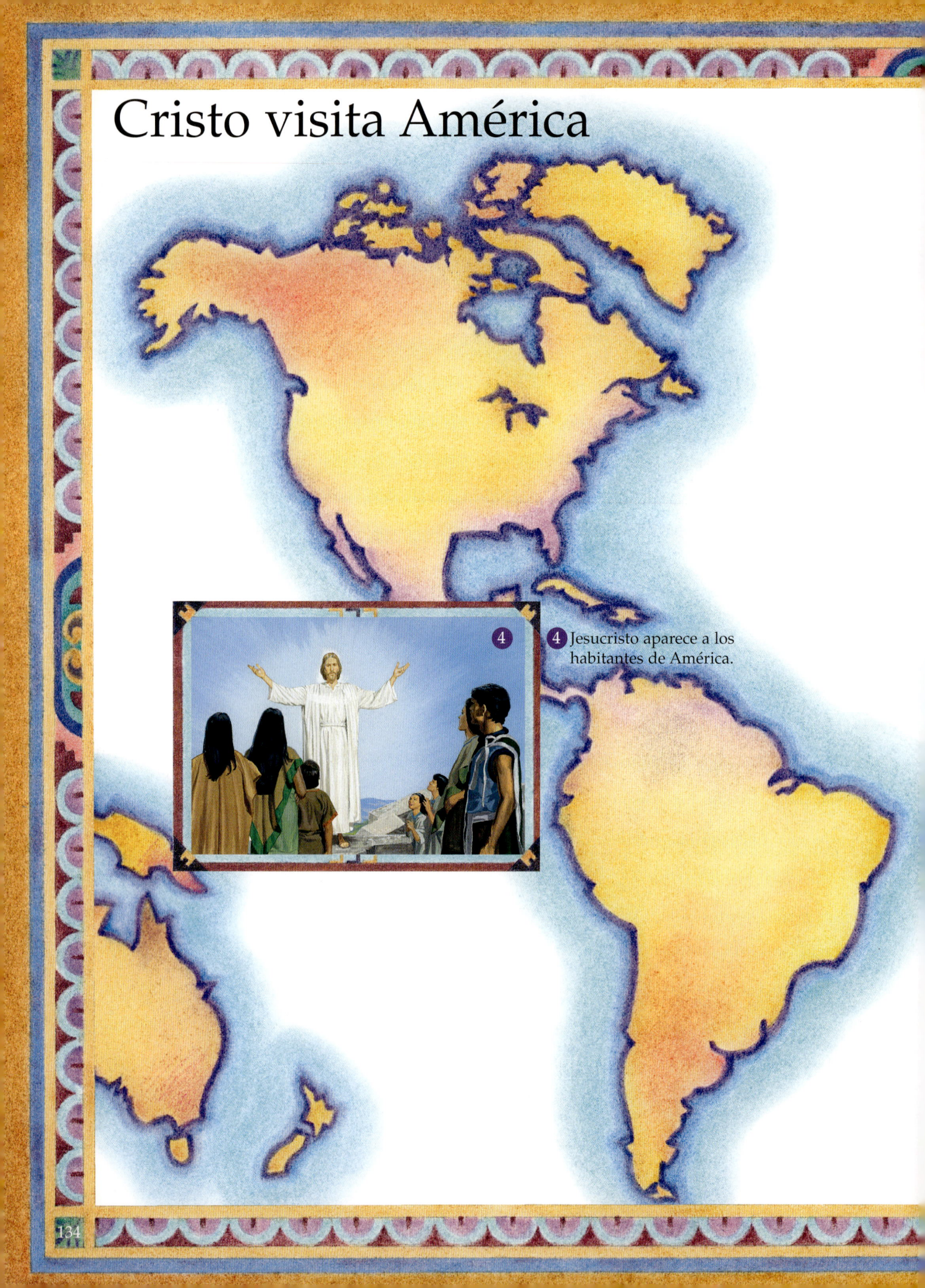

④ Jesucristo aparece a los habitantes de América.

1. Jesucristo nace.
2. Jesucristo muere.
3. Jesucristo resucita.

135

PAZ EN AMÉRICA

Capítulo 48

Después de que Jesús regresó al cielo, Sus discípulos establecieron Su Iglesia por toda la tierra.   *4 Nefi 1:1.*

Las personas que se arrepentían de sus pecados eran bautizadas y recibían el Espíritu Santo.   *4 Nefi 1:1.*

Pronto, todos los nefitas y los lamanitas se convirtieron. No había peleas entre ellos y todos eran honrados.

4 Nefi 1:2.

Nadie era ni rico ni pobre; la gente compartía todo, y todos tenían lo que necesitaban.   *4 Nefi 1:3.*

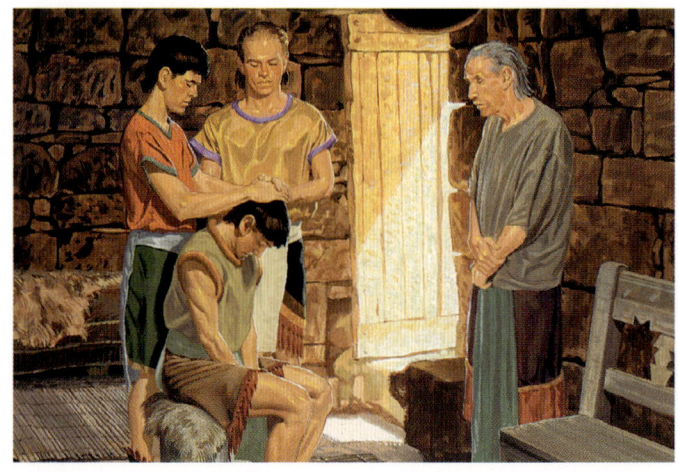

Los discípulos efectuaron muchos milagros en el nombre de Jesucristo; sanaron a los enfermos y resucitaron a los muertos.   *4 Nefi 1:5.*

La gente edificó nuevas ciudades donde otras habían sido destruidas. *4 Nefi 1:7.*

Obedecían los mandamientos de Dios; ayunaban y oraban, y se reunían a menudo para escuchar la palabra de Dios. *4 Nefi 1:12.*

La gente era feliz. *4 Nefi 1:16.*

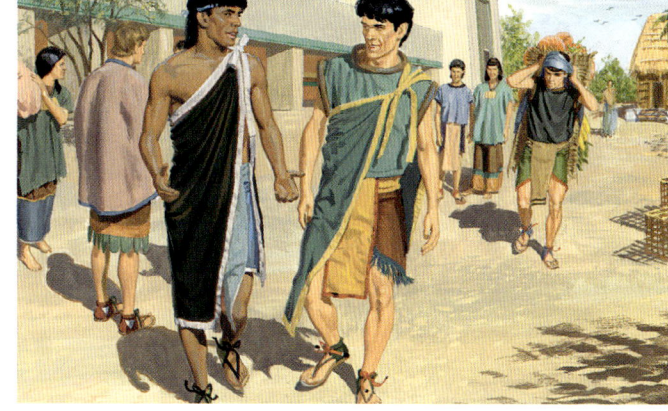

No había ni ladrones, ni mentirosos, ni asesinos. La gente ya no estaba dividida en nefitas ni en lamanitas, sino que eran un pueblo unido: los hijos de Cristo. *4 Nefi 1:16–17.*

El Señor los bendecía en todo lo que hacían. *4 Nefi 1:18.*

Vivieron en paz durante 200 años. La gente se hizo muy rica.

4 Nefi 1:22–23.

MORMÓN Y SUS ENSEÑANZAS

Capítulo 49

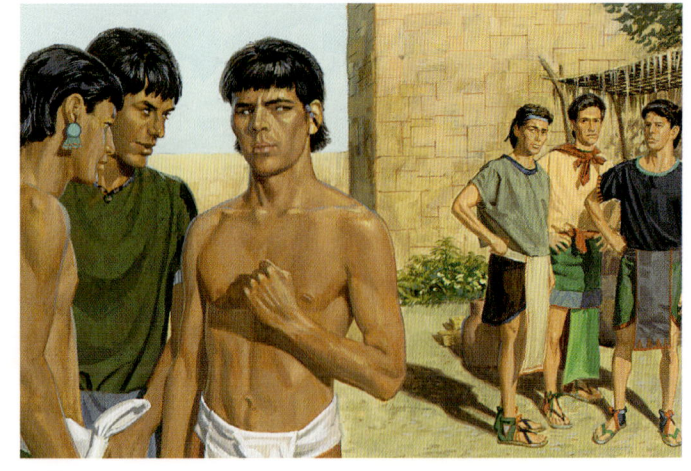

Muchos años después de que Jesucristo visitó a los nefitas, un grupo pequeño de personas dejó la Iglesia y comenzaron a llamarse lamanitas. *4 Nefi 1:20.*

Con el tiempo, casi todas las personas se volvieron inicuas, tanto los nefitas como los lamanitas. *4 Nefi 1:45.*

Un hombre justo llamado Ammarón tenía a su cargo los registros sagrados. El Espíritu Santo le indicó que los escondiera para que así estuvieran seguros. *4 Nefi 1:48–49.*

Ammarón le dijo a Mormón, un niño de diez años, dónde estaban escondidos los registros. Ammarón sabía que podía confiar en Mormón. *Mormón 1:2–3.*

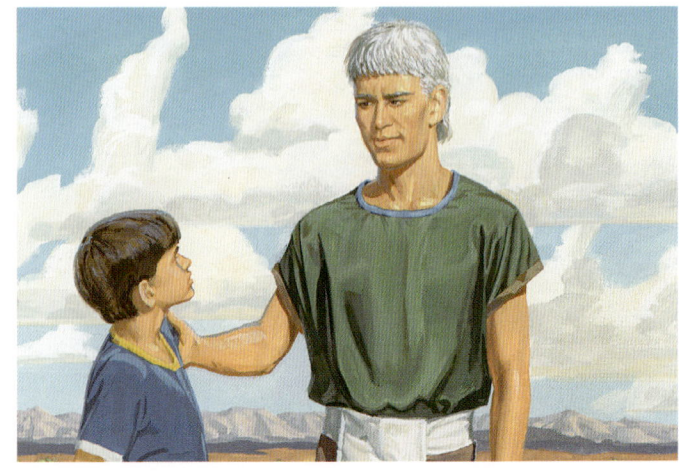

Cuando cumpliera 24 años de edad, Mormón habría de obtener las planchas de Nefi y escribir en ellas la historia de su pueblo. *Mormón 1:3–4.*

Cuando Mormón tenía 11 años, se desató una guerra entre los nefitas y los lamanitas. Los nefitas ganaron y hubo paz nuevamente. *Mormón 1:6, 8–12.*

Pero los nefitas eran tan inicuos que el Señor se llevó a los tres discípulos, con lo cual no hubo más milagros ni sanidades. La gente no recibió más la guía del Espíritu Santo. *Mormón 1:13–14.*

Cuando Mormón tenía 15 años de edad, Jesucristo lo visitó; Mormón aprendió más acerca del Salvador y de Su bondad. *Mormón 1:15.*

Mormón quería predicar al pueblo, pero Jesús le dijo que no, porque la gente era demasiado inicua. Sus corazones estaban en contra de Dios. *Mormón 1:16–17.*

Al poco tiempo empezó otra guerra. Mormón era alto y fuerte, y los nefitas lo escogieron para que dirigiera su ejército. *Mormón 2:1.*

Los nefitas lucharon contra los lamanitas por muchos años. Mormón trató de alentar a su pueblo a luchar por sus hogares y sus familias. *Mormón 2:23.*

No obstante, los nefitas se habían vuelto tan inicuos que el Señor no los ayudaba. *Mormón 2:26.*

Mormón dijo a los nefitas que se salvarían sólo si se arrepentían y se bautizaban; pero el pueblo se negó a hacerlo. *Mormón 3:2–3.*

Ellos se jactaron de su fuerza, diciendo que matarían a todos los lamanitas. Debido a la iniquidad de los nefitas, Mormón se negó a seguir siendo su líder. *Mormón 3:9–11.*

Los lamanitas empezaron a derrotar a los nefitas en cada batalla; Mormón decidió dirigir nuevamente los ejércitos nefitas. *Mormón 4:18; 5:1.*

Él sabía que los nefitas inicuos no ganarían la guerra; no se arrepintieron ni oraron para pedir la ayuda que necesitaban. *Mormón 5:2.*

Mormón sacó todos los registros de la colina donde Ammarón los había escondido y escribió para la gente que algún día leería ese registro. *Mormón 4:23; 5:9, 12.*

Él deseaba que todos, incluso los judíos, supieran acerca de Jesucristo, se arrepintieran y fueran bautizados, vivieran el Evangelio y fueran bendecidos.

Mormón 5:14; 7:8, 10.

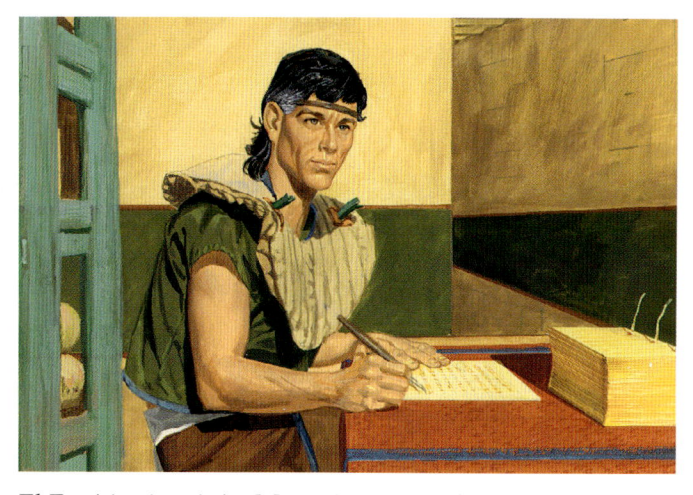

El Espíritu inspiró a Mormón a juntar las planchas menores de Nefi, las cuales contenían las profecías acerca de la venida de Cristo, con las planchas de Mormón.

Palabras de Mormón 1:3–7.

Mormón llevó a los nefitas a la tierra de Cumorah, en donde se prepararon para luchar de nuevo en contra de los lamanitas. *Mormón 6:4.*

Mormón estaba envejeciendo; él sabía que ésta sería la última batalla. Él no quería que los lamanitas encontraran los registros sagrados y los destruyeran.

Mormón 6:6.

De modo que dio las planchas de Mormón a su hijo Moroni, y ocultó el resto de las planchas en el cerro de Cumorah. *Mormón 6:6.*

Los lamanitas atacaron y mataron a todos los nefitas, menos a 24. Mormón resultó herido. *Mormón 6:8–11.*

Mormón estaba triste por la muerte de tantos nefitas, pero él sabía que habían muerto porque habían rechazado a Jesús. *Mormón 6:16–18.*

Mormón había tratado de enseñar la verdad a los nefitas; les había dicho cuán importante era tener fe en Jesucristo. *Moroni 7:1, 33, 38.*

Había tratado de enseñarles a tener esperanza por medio de la expiación de Jesucristo y a tener caridad, que es el amor puro de Cristo. *Moroni 7:40–41, 47.*

Y Mormón le había escrito cartas a su hijo Moroni, quien también había enseñado el Evangelio a los nefitas. *Moroni 8:1–2.*

Mormón escribió acerca de la terrible iniquidad de los nefitas. Le pidió a Moroni que permaneciera fiel a Jesucristo. *Moroni 9:1, 20, 25.*

Los lamanitas mataron a Mormón y a todos los nefitas, menos a Moroni, quien terminó de escribir los registros. *Mormón 8:2–3.*

142

LOS JAREDITAS SALEN DE BABEL

Capítulo 50

Jared y su hermano eran hombres justos que vivían en una ciudad llamada Babel; vivieron cientos de años antes que los nefitas. *Éter 1:33; Génesis 11:9.*

La mayoría de la gente de Babel era inicua. Construyeron una torre para tratar de llegar al cielo; el Señor se enojó y cambió su lenguaje. *Génesis 11:4, 7.*

Jared le pidió a su hermano que orara y le suplicara al Señor que no cambiara el lenguaje de sus familias y amigos. *Éter 1:34.*

El hermano de Jared oró y el Señor contestó su oración. Jared, su hermano y sus familias y amigos aún podían entenderse unos a otros. *Éter 1:35–37.*

El Señor le dijo al hermano de Jared que reuniera a su familia y amigos y saliera del país; llevaron consigo sus rebaños y semillas de todas clases. *Éter 1:41–42.*

El Señor dijo que conduciría a los jareditas a una tierra prometida. *Éter 1:42.*

Los jareditas atraparon aves y peces y los llevaron consigo. *Éter 2:2.*

Llevaron enjambres de abejas. *Éter 2:3.*

Los jareditas viajaron hacia el desierto. El Señor les habló desde una nube y les indicó por dónde habían de ir. *Éter 2:5.*

El Señor dijo que los que vivieran en la tierra prometida debían servir a Dios o serían destruidos. *Éter 2:7–8.*

Cuando los jareditas llegaron a la orilla del mar, plantaron sus tiendas; permanecieron cerca del mar por el espacio de cuatro años. *Éter 2:13.*

LOS JAREDITAS VIAJAN HACIA LA TIERRA PROMETIDA

Capítulo 51

Durante el tiempo que los jareditas acamparon a la orilla del mar, el hermano de Jared dejó de orar. El Señor vino en una nube para decirle que se arrepintiera. *Éter 2:14.*

El hermano de Jared se arrepintió y oró. El Señor perdonó al hermano de Jared y le dijo que no pecara más. *Éter 2:15.*

El Señor le dijo al hermano de Jared que construyera barcos para llevar a su pueblo hacia la tierra prometida. *Éter 2:16.*

El Señor le dijo al hermano de Jared cómo construir los barcos. *Éter 2:16–17.*

Los barcos estaban tan bien sellados que el agua no podía entrar en ellos. *Éter 2:17.*

El hermano de Jared se preguntaba cómo la gente podría tener aire para respirar en los barcos; le preguntó al Señor lo que debía hacer. *Éter 2:19.*

El Señor le dijo que hiciera una abertura en la parte superior y otra en el fondo de cada barco; podían abrir la abertura para dejar entrar el aire, y cerrarla para que no entrara el agua. *Éter 2:20.*

El hermano de Jared le dijo al Señor que los barcos estaban obscuros por dentro. El Señor le dijo que pensara en la forma de tener luz dentro de los barcos. *Éter 2:22–23.*

La luz para los barcos no podía provenir del fuego ni de ventanas, ya que éstas se romperían. *Éter 2:23.*

El hermano de Jared subió a una montaña y de una roca formó 16 piedras pequeñas. Las piedras parecían cristal transparente. Él hizo dos piedras para cada uno de los ocho barcos. *Éter 3:1.*

El hermano de Jared llevó las piedras a lo alto de la montaña. Allí oró al Señor. *Éter 3:1.*

El hermano de Jared le pidió al Señor que tocara las piedras para que dieran luz dentro de los barcos.

Éter 3:4.

El Señor tocó cada una de las piedras con el dedo.

Éter 3:6.

Debido a que el hermano de Jared tenía gran fe, vio el dedo del Señor; se veía como un dedo humano. *Éter 3:6, 9.*

Entonces el Señor se mostró ante el hermano de Jared.

Éter 3:13.

Jesús dijo que los que crean en Él tendrán la vida eterna.

Éter 3:14.

Jesús le enseñó y le mostró muchas cosas al hermano de Jared. Jesús le dijo que escribiera lo que había visto y oído.

Éter 3:25–27.

147

El hermano de Jared bajó de la montaña con las piedras; puso una piedra en cada uno de los extremos de los barcos. Éstas iluminaron el interior de los barcos.

Éter 6:2–3.

Los jareditas subieron a los barcos con sus animales y alimentos. El Señor hizo que un viento fuerte empujara los barcos hacia la tierra prometida. *Éter 6:4–5.*

El Señor los protegió en el agitado mar. Dieron gracias al Señor y le cantaron alabanzas. *Éter 6:6–10.*

Después de 344 días en el agua, los barcos llegaron a la playa de la tierra prometida. *Éter 6:11–12.*

Cuando los jareditas salieron de los barcos, se arrodillaron y derramaron lágrimas de gozo. *Éter 6:12.*

Los jareditas construyeron casas y sembraron sus semillas en la tierra prometida. Enseñaron a sus hijos a escuchar al Señor y a obedecer Sus palabras.

Éter 6:13, 16–18.

LA DESTRUCCIÓN DE LOS JAREDITAS

Capítulo 52

El número de jareditas comenzó a crecer y se hicieron ricos. Escogieron a un rey para que fuera su líder.
Éter 6:18, 22, 27–28.

Pasaron muchos años, y los jareditas se volvieron inicuos. El Señor envió profetas para decirles que se arrepintieran o serían destruidos. *Éter 11:1.*

La gente no escuchó a los profetas; intentaron matarlos.
Éter 11:2.

Hubo guerras y hambre en la tierra. Muchos jareditas murieron. *Éter 11:7.*

El Señor envió a otro profeta, llamado Éter. Él predicaba desde la mañana hasta la noche, diciendo a los jareditas que creyeran en Dios y se arrepintieran. *Éter 12:2–3.*

Éter dijo a los jareditas que si creían en Dios, algún día vivirían con el Padre Celestial en un mundo mejor.
Éter 12:4.

Éter dijo a los jareditas muchas cosas importantes, pero no le creyeron. Lo obligaron a irse de la ciudad.
Éter 12:5; 13:13.

Éter se escondía en una cueva durante el día a fin de que no lo mataran. De noche salía para ver lo que les estaba ocurriendo a los jareditas.
Éter 13:13–14.

Él terminó de escribir la historia de los jareditas mientras estaba escondido.
Éter 13:14.

El Señor envió a Éter ante Coriántumr, que era un rey jaredita inicuo. Éter le dijo que se arrepintiera o viviría para ver morir a todo su pueblo.
Éter 13:16–17, 20–21.

Coriántumr y su pueblo no se arrepintieron. Él trató de hacer matar a Éter, pero éste huyó y se escondió en la cueva.
Éter 13:22.

La gente era tan inicua que el Señor maldijo la tierra. No podían dejar sus herramientas o sus espadas en ningún lugar porque al día siguiente esos objetos habrían desaparecido.
Éter 14:1.

Todos los jareditas peleaban en las guerras, incluso las mujeres y los niños. Coriántumr guiaba un ejército y otro hombre llamado Shiz, guiaba el otro.
Éter 14:19–20; 15:15.

Coriántumr y Shiz eran hombres inicuos. El Espíritu Santo se había alejado de los jareditas a causa de la iniquidad de ellos. Satanás tenía completo poder sobre ellos.
Éter 15:19.

Los jareditas lucharon hasta que Coriántumr y Shiz eran los únicos que quedaban. Cuando Shiz se desmayó por haber perdido mucha sangre, Coriántumr le cortó la cabeza.
Éter 15:29–30.

La profecía de Éter se cumplió: Coriántumr fue el último jaredita que quedó con vida. La gente de Zarahemla lo encontró.
Omni 1:21.

Éter terminó de escribir la historia de los jareditas. Ellos habían sido destruidos a causa de su iniquidad. Más tarde, los nefitas encontraron los registros de los jareditas.
Éter 15:33.

151

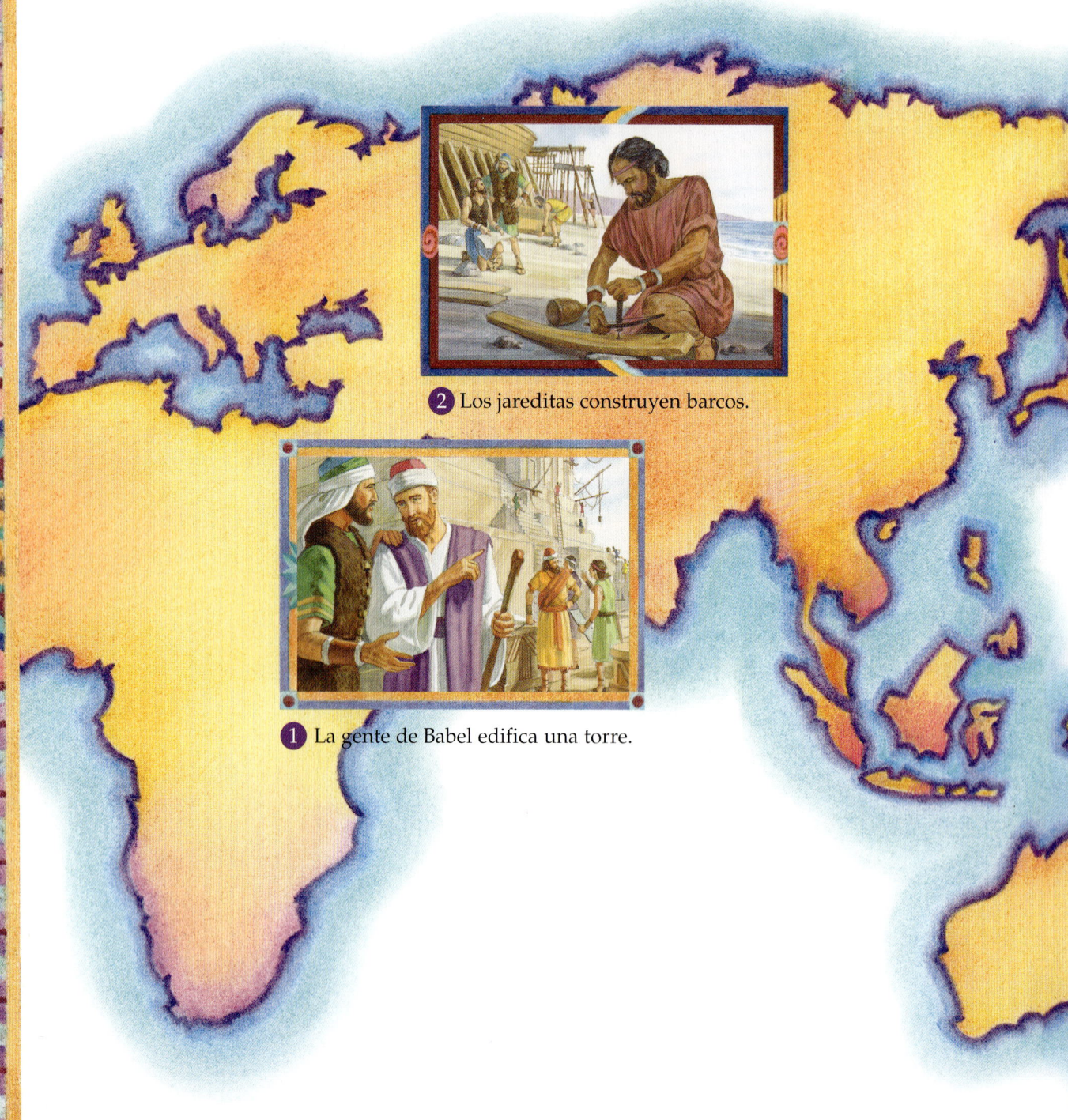

Los viajes de los jareditas

② Los jareditas construyen barcos.

① La gente de Babel edifica una torre.

③ Los jareditas viajan por el mar.

④ Los jareditas llegan a América.

MORONI Y SUS ENSEÑANZAS

Capítulo 53

Al morir Mormón, Moroni se quedó solo. Terminó los registros que su padre le había dado.

Mormón 8:1, 3.

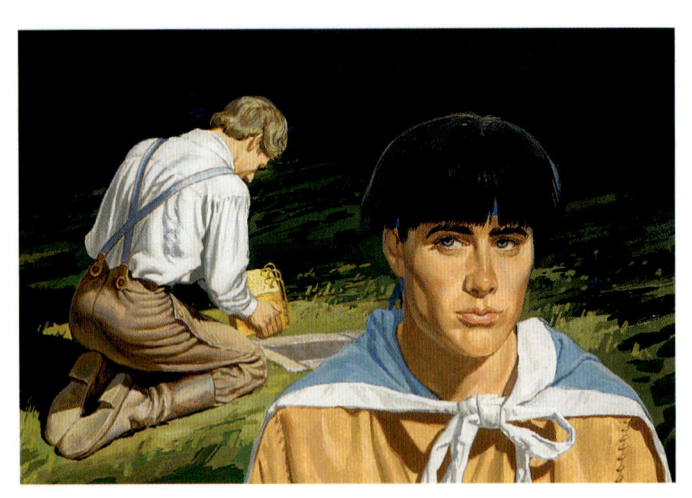

Moroni sabía que un día las planchas de oro serían desenterradas. *Mormón 8:16.*

Las palabras de las planchas de oro hablan de Jesucristo; dan testimonio y enseñan a la gente la manera de vivir rectamente. *Mormón 9:11–12, 27.*

Los lamanitas inicuos mataron a todo nefita que no negaba a Jesucristo. *Moroni 1:2.*

Moroni jamás negaría a Jesucristo. Anduvo errante, escondiéndose de los lamanitas. *Moroni 1:3.*

Moroni escribió más en las planchas de oro, especialmente a los lamanitas de los últimos días.

Moroni 1:4.

Escribió muchas cosas importantes, incluso las palabras de las oraciones sacramentales.

Moroni 4; 5.

Moroni escribió que las únicas personas que pueden ser bautizadas son aquellas que están dispuestas a arrepentirse de sus pecados y servir a Jesucristo.

Moroni 6:1–3.

Moroni quería que todos creyéramos en Jesucristo y llegáramos a conocerlo. Dijo que todo lo bueno viene de Cristo.

Moroni 10:18, 30.

Moroni escribió que si las personas aman a Dios y lo siguen, pueden llegar a ser perfectas.

Moroni 10:32.

Moroni sabía que después de morir sería resucitado y viviría con nuestro Padre Celestial y con Jesucristo.

Moroni 10:34.

155

LA PROMESA DEL LIBRO DE MORMÓN

Capítulo 54

Antes de enterrar las planchas por última vez, Moroni escribió una promesa para los lamanitas y para todos los que leyeran esos registros. *Moroni 10:1–2.*

Dijo a la gente que leyeran los registros, que pensaran bien en lo que habían leído y que luego le preguntaran al Padre Celestial si son verdaderos. *Moroni 10:3–4.*

Moroni prometió que si las personas pedían con sinceridad, con fe en Cristo, el Espíritu Santo les ayudaría a saber que los registros son verdaderos. *Moroni 10:4–5.*

Moroni escribió que si las personas se arrepienten, siguen a Jesucristo y aman a nuestro Padre Celestial, pueden llegar a ser perfectas. *Moroni 10:32.*

Cuando Moroni terminó de escribir sobre las planchas de oro, las escondió en una caja de piedra en el cerro de Cumorah y cubrió la caja con una gran piedra. Su obra terrenal había acabado.

Mormón 8:4; José Smith —Historia 1:52.

PALABRAS QUE SE DEBEN SABER

A

adorar honrar o seguir a una persona o cosa.

altar

altar un lugar sagrado con una elevación de tierra o de piedras en el que se ofrecen oraciones o sacrificios a Dios.

ángel un mensajero de Dios.

árbol de la vida un árbol en el sueño de Lehi, el cual representa el amor de Dios.

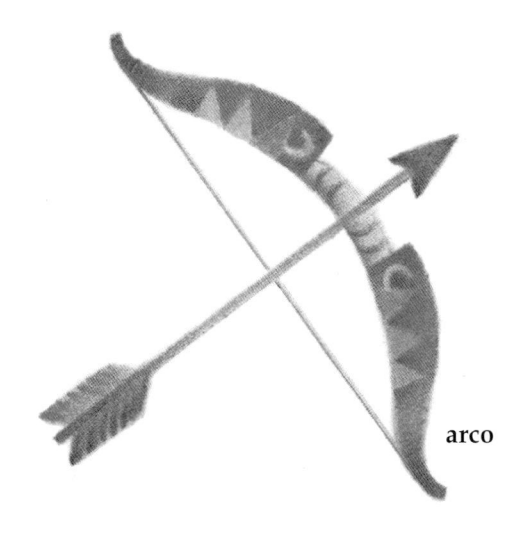

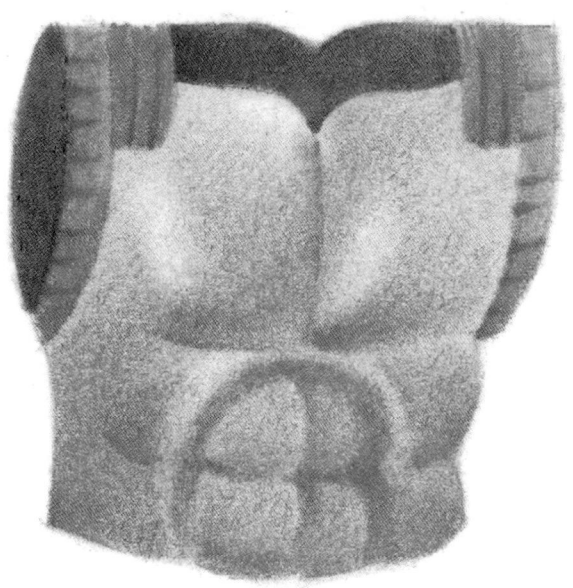

armadura

armadura una cubierta que llevan los soldados para protegerse durante la batalla.

arrepentirse sentirse mal por una acción o pensamiento, y prometer no volverlo a hacer.

ayuno no comer ni beber líquidos mientras se busca ayuda espiritual.

arco

B

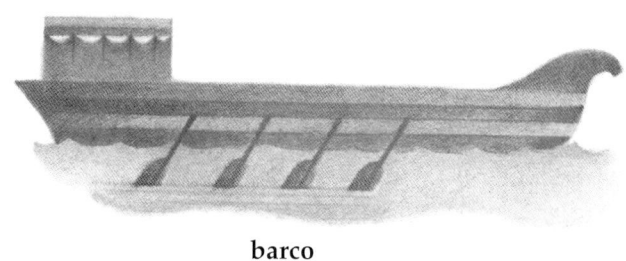

barco

arco un palo largo con una cuerda atada en los dos extremos, y que se usa para lanzar flechas.

arma algo que se usa para herir o matar a otras personas, como una espada o lanza.

barco una embarcación grande que se usa para llevar gente o mercancías.

barra de hierro un símbolo del sueño de Lehi que representa la palabra de Dios.

bautismo

bautismo una ordenanza en la que una persona con autoridad de Dios coloca a otra persona totalmente debajo del agua y luego la saca. Se requiere el bautismo para convertirse en miembro de la Iglesia de Jesucristo.

bendecir dar a una persona algo que la beneficiará. Bendecir la Santa Cena es pedirle a Dios que acepte el pan y el agua como símbolos de Jesucristo.

borracho cuando se pierde el control por haber bebido mucho alcohol.

buenas nuevas mensajes de esperanza y consuelo enviados de Dios.

C

capitán líder de un ejército.

castigar causar o permitir que le pasen cosas malas a una persona. A las personas se les castiga con frecuencia cuando no obedecen a Dios.

ciego que no puede ver.

cielo el lugar en donde viven nuestro Padre Celestial y Jesucristo.

construir hacer o edificar algo.

convenio una promesa entre Dios y una persona.

creer sentir o saber que algo es cierto.

crucificar dar muerte a una persona clavándola en una cruz.

cuero cabelludo la parte de la cabeza donde nace el cabello.

D

desierto una porción vacía de tierra en la que no hay ciudades ni gente.

destruir acabar con algo o arruinar algo completamente, como una ciudad o una vida.

discípulo una persona que sigue a Jesús y trata de ser como Él.

E

ejército un grupo de soldados que están preparados para luchar.

entender saber o comprender una idea.

escapar alejarse de una persona.

esclavo no ser libre; tener que trabajar todo el día para el beneficio de otra persona.

escudo parte de la armadura que protege la parte superior del cuerpo del soldado contra las espadas u otras armas.

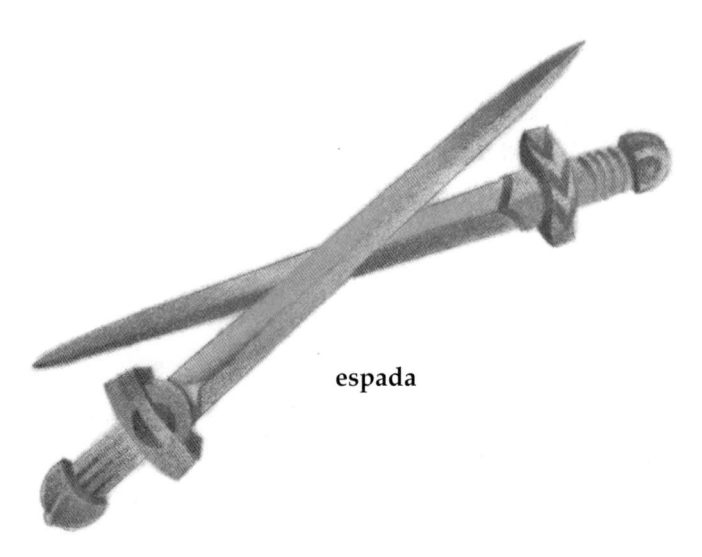

espada

espada una hoja larga de metal que se usa para cortar o herir.

estandarte de la libertad

estandarte de la libertad un mensaje que el capitán Moroni escribió para alentar a su pueblo a defender su libertad.

Evangelio las enseñanzas de Jesucristo.

Gran Espíritu el nombre lamanita para Dios.

F

fe creer en Jesucristo.

fiel continuar obedeciendo los mandamientos.

flecha

flecha un arma con punta afilada que se usa para cazar o en la guerra.

G

guerra lucha entre enemigos o ejércitos opuestos.

H

hambre falta de comida cuando deja de llover y no se puede cultivar la tierra.

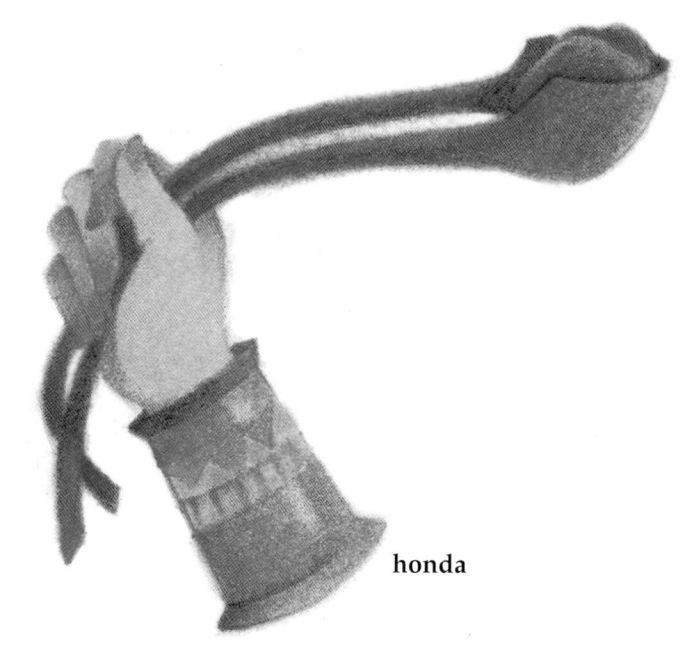

honda

honda un arma que se usa para lanzar piedras.

humilde una persona a la que se le puede enseñar fácilmente a hacer la voluntad de Dios.

I

ídolo algo que la gente adora pero que no es de Dios.

inicuo algo que es malo.

J

juez superior un puesto en el gobierno nefita.

juez un líder que decide cuál es el significado de las leyes y la forma en que la gente las debe seguir.

L

lanza un palo con una punta afilada.

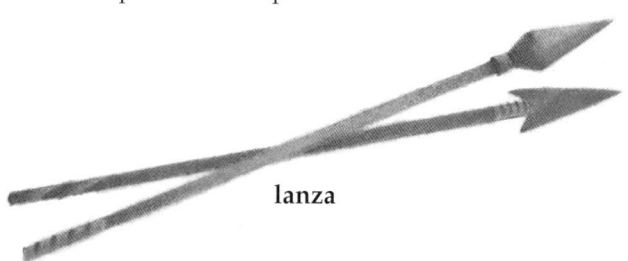

lanza

Liahona

Liahona una bola de bronce que Dios dio a la familia de Lehi para mostrarles el camino que debían seguir en el desierto; sólo funcionaba cuando la familia de Lehi era recta.

libertad el ser libres de decidir hacer lo que uno desee.

libertad tener el derecho de elegir.

líder una persona que guía a un grupo de personas.

lleno del Espíritu Santo cuando el Espíritu Santo le indica a la mente y al corazón de la persona lo que es verdad.

M

mandamiento algo que Dios dice a los de su pueblo que deben hacer para ser felices.

maza

maza un arma que se usa para golpear animales o personas.

miembro una persona que pertenece a una iglesia o a un grupo.

milagro algo que sucede, fuera de lo común, que muestra el poder de Dios.

misionero una persona que enseña el Evangelio de Jesucristo a los demás.

O

obedecer hacer lo que se pide o se manda.

orar hablar con Dios, expresando agradecimiento y pidiendo bendiciones.

ordenanza una ceremonia o acto sagrado que tiene significado espiritual, como el bautismo o la Santa Cena.

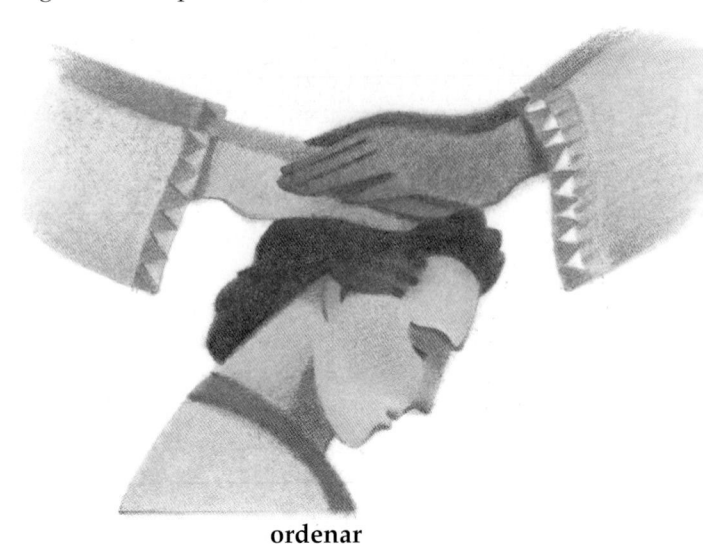

ordenar

ordenar dar poder y autoridad del sacerdocio.

P

paz un sentimiento de tranquilidad o una época sin guerra.

pecar no cumplir un mandamiento.

perdonar olvidar las cosas malas que una persona haya hecho y amar a esa persona.

perseguir decir cosas falsas acerca de alguien y tratar de hacerle daño.

perverso algo que no es de Dios. Una persona perversa ama a Satanás y no guarda los mandamientos de Dios.

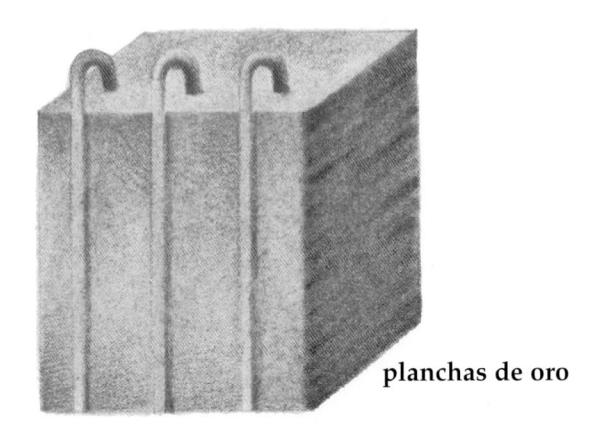

planchas de oro

planchas de oro un registro escrito en hojas delgadas de oro. Moroni las escondió en el cerro de Cumorah y, más tarde, José Smith las desenterró.

planchas de bronce

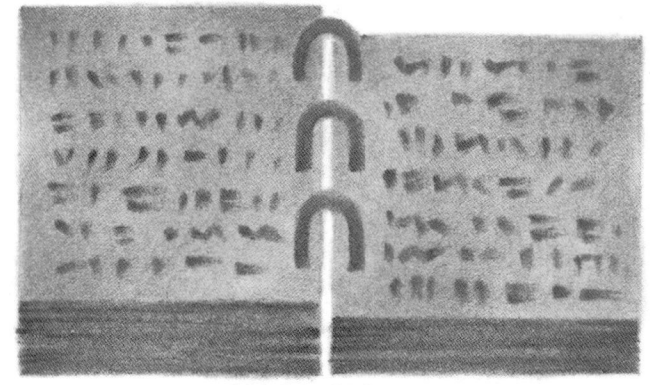

planchas de bronce un registro de los mandamientos y de los tratos de Dios con los antepasados de Lehi.

planchas

planchas hojas finas de metal en las que la gente escribía las enseñanzas de Dios y las historias de los pueblos.

poder una fuerza para bien o para mal; a menudo una ayuda o fortaleza especial de Dios.

prisión lugar en donde se encierra a las personas que han cometido un delito.

profeta una persona llamada por Dios para dar a conocer a la gente la palabra de Dios.

profetizar describir un acontecimiento antes de que suceda.

promesa dar la palabra de que se hará algo.

R

rebelarse desobedecer o ir en contra de los mandamientos.

recto algo que es de Dios. Las personas rectas son aquellas que siguen los mandamientos de Dios.

resucitar traer algo o a alguien otra vez a la vida.

rey el monarca que dirige a un grupo de personas.

robar tomar algo que le pertenece a otra persona.

S

sacerdocio la autoridad para actuar en el nombre de Dios.

sacrificar dar o entregar algo por el Señor.

sanar cuando una persona enferma o herida se mejora.

Santa Cena ordenanza en la que los hombres que poseen el sacerdocio bendicen y reparten el pan y el agua a los demás. La Santa Cena recuerda a las personas de Jesucristo.

sinagoga tipo de edificio en donde las personas se reúnen para adorar a Dios.

soldado persona que lucha en un ejército.

sordo que no puede oír.

sueño algo que ocurre en la mente de una persona cuando está dormida.

T

templo

templo la casa de Dios.

testimonio un sentimiento de certeza de que el Evangelio es verdadero.

torre

torre un edificio o plataforma a los que las personas se pueden subir.

traducir cambiar palabras de un idioma al otro.

túnica una vestimenta larga y amplia.

U

unirse formar parte de un grupo.

Urim y Tumim instrumentos especiales que Dios da a los profetas para ayudarles a traducir y a recibir revelación.

V

valiente saber lo que es lo correcto y defenderlo.

verdadero algo que en realidad ocurrió, o que es bueno o correcto.

vida eterna vivir para siempre con Dios.

visión una forma de revelación.

PERSONAS QUE SE DEBEN CONOCER

Aarón uno de los hijos del rey Mosíah y un misionero entre los lamanitas.

Abinadí un profeta enviado a enseñar al rey Noé, quien mandó quemar a Abinadí.

Adán el primer hombre en la tierra.

Alma un sacerdote del rey Noé que creyó las enseñanzas de Abinadí y más tarde fue líder de la Iglesia.

Alma, hijo el hijo de Alma que se rebeló e intentó destruir la Iglesia, pero que se arrepintió y empezó a predicar el Evangelio. Llegó a ser líder de la Iglesia y el primer juez superior.

Amalickíah un hombre inicuo que quería ser rey de los nefitas pero que le hubiera quitado al pueblo su libertad. Cuando no lo nombraron rey, se fue y se unió a los lamanitas.

Amlici un hombre inicuo que quería ser rey de los nefitas. Cuando no lo nombraron rey, él y sus seguidores se fueron, atacaron a los nefitas y luego se unieron a los lamanitas.

Amlicitas seguidores de Amlici. Se pusieron una marca roja sobre la frente y se unieron a los lamanitas.

Ammarón un hombre justo que le entregó los registros a Mormón a fin de que estuvieran protegidos.

Ammón, pueblo de Lamanitas convertidos por los hijos de Mosíah. El pueblo enterró sus armas e hizo convenio de que nunca volverían a pelear.

Ammón[1] el líder de un grupo de nefitas de Zarahemla que fue a la tierra de Nefi y ayudó a los nefitas a escapar.

Ammón[2] uno de los hijos de Mosíah que protegió de los ladrones los rebaños del rey Lamoni. Durante su misión enseñó y convirtió a muchos lamanitas.

Amulek compañero misional de Alma, hijo. Fueron encarcelados, pero usaron el poder de Dios para hacer caer los muros de la prisión.

Amulón un sacerdote inicuo del rey Noé que fue nombrado gobernador del pueblo de Alma. Los hacía trabajar mucho y amenazó que mataría a cualquiera que fuera sorprendido orando.

Anti-nefi-lehitas (véase Ammón, pueblo de).

Benjamín, rey rey justo que desde una torre enseñó a su pueblo acerca de Jesucristo.

Coriantón hijo de Alma, hijo, que no fue un misionero fiel y recto.

Coriántumr rey inicuo que fue el último jaredita que quedó con vida.

dos mil jóvenes guerreros ejército de jóvenes ammonitas dirigidos por Helamán; ellos fueron a la batalla a fin de que sus padres, que habían hecho convenio de no luchar, no tuvieran que hacerlo.

Enós hijo de Jacob que oró todo el día hasta la noche. Oró por los nefitas y por los lamanitas.

Éter profeta que exhortó a los jareditas a arrepentirse y que escribió acerca de su destrucción.

Eva la primera mujer sobre la tierra.

Gedeón nefita justo que defendió a la Iglesia cuando Nehor empezó a enseñar mentiras a la gente. Nehor lo mató.

Hagot un nefita, constructor de barcos, quien condujo a muchos nefitas a una tierra del norte.

Helamán el mayor de los hijos de Alma, hijo; le fueron dadas las planchas y se le dijo que escribiera la historia de su pueblo. Fue también el líder de los dos mil jóvenes guerreros.

hermano de Jared profeta que le pidió a Jesús que tocara dieciséis piedras a fin de que iluminaran los barcos que los jareditas usaron para viajar a la tierra prometida.

hijos de Mosíah hijos del rey Mosíah: Aarón, Ammón[2], Himni y Omner, quienes fueron misioneros valientes entre los lamanitas.

Himni hijo del rey Mosíah y misionero entre los lamanitas.

Hombres libres nefitas que deseaban ser libres para vivir y adorar como quisieran; eran gobernados por jueces, en vez de un rey.

Ismael un hombre de Jerusalén que viajó a la tierra prometida con la familia de Lehi. Sus hijas se casaron con los hijos de Lehi.

Jacob hijo de Lehi y Saríah. Él le hizo frente a Sherem, quien dijo que Cristo no existe.

Jareditas seguidores de Jared y de su hermano, quienes salieron de Babel y viajaron en barcos a la tierra prometida.

José Smith profeta de los últimos días que tradujo el Libro de Mormón de las planchas de oro.

José hijo justo de Lehi y Saríah que nació en el desierto.

Korihor hombre inicuo que quería una señal para probar que Dios vive. Dios dio a Korihor una señal al quitarle el habla.

Labán hombre inicuo de Jerusalén que no quiso entregar las planchas de bronce a los hijos de Lehi.

Lamán, rey rey lamanita inicuo que dio a Zeniff y a sus seguidores nefitas dos ciudades pero que luego los atacó.

Lamán el mayor de los hijos de Lehi y Saríah; era inicuo y se rebeló contra Dios.

Lamanitas descendientes o seguidores de Lamán y Lemuel o personas que rechazaron el Evangelio.

Lamoni, padre del rey rey lamanita a quien se le enseñó el Evangelio y creyó. Dijo que abandonaría todos sus pecados para conocer a Dios.

Lamoni, rey rey lamanita a quien se le enseñó el Evangelio y creyó. Ammón[2] protegió de los ladrones los rebaños del rey.

Lehi[1] profeta que advirtió que Jerusalén sería destruida; él hizo caso cuando Dios le dijo que llevara a su familia al desierto.

Lehi[2] hijo de Helamán; él y su hermano Nefi fueron encarcelados y rodeados por fuego.

Lemuel hijo inicuo de Lehi y Saríah.

Limhi, rey hijo bueno del inicuo rey Noé; él y su pueblo eran esclavos de los lamanitas, pero escaparon.

María madre de Jesús.

Mormón líder de los ejércitos nefitas y uno de los últimos profetas nefitas. Él compiló el Libro de Mormón.

Moroni, capitán líder religioso del ejército nefita; hizo el estandarte de la libertad y dijo a su ejército que luchara por su libertad.

Moroni hijo de Mormón y último profeta nefita; enterró las planchas de oro y más tarde se le apareció a José Smith como un ángel.

Mosíah, rey último rey nefita; tenía cuatro hijos.

Nefi[1] hijo justo de Lehi y Saríah. Obtuvo las planchas de bronce de Labán y construyó el barco que llevó a su familia a la tierra prometida.

Nefi[2] hijo de Helamán. Él y su hermano Lehi fueron encarcelados y fueron rodeados por fuego. Nefi hizo que viniera el hambre para enseñar a la gente a arrepentirse.

Nefi[3] hombre justo escogido por Jesucristo para ser discípulo y líder de la Iglesia.

Nefitas seguidores de Nefi o personas que aceptaron el Evangelio.

Nehor hombre inicuo que discutía con fuerza contra la Iglesia de Dios; mató a Gedeón por lo que le quitaron la vida.

Noé, rey inicuo rey nefita que amaba las riquezas y que enseñó a su pueblo a ser inicuo. Su propia gente le dio muerte al quemarlo vivo.

Omner hijo del rey Mosíah y misionero entre los lamanitas.

Pahorán juez superior de los nefitas que ayudó al capitán Moroni a derrotar a los nefitas inicuos.

Realistas nefitas que querían ser gobernados por un rey y no por jueces. Cuando no pudieron tener un rey, se unieron a los lamanitas y atacaron a los nefitas.

Sam hijo justo de Lehi y Saríah.

Samuel el Lamanita profeta que profetizó a los nefitas en cuanto a las señales del nacimiento y de la muerte de Jesucristo.

Saríah esposa de Lehi.

Seántum el hermano y el asesino de Seezóram.

Seezóram juez superior que fue asesinado por su hermano.

Sherem nefita inicuo que quería una señal antes de creer en Jesucristo.

Shiz jaredita inicuo que dirigió un ejército contra Coriántumr y que fue uno de los últimos jareditas con vida.

Zeezrom abogado que le ofreció dinero a Amulek para decir que Dios no existe. Alma, hijo, le enseñó el Evangelio y Zeezrom se arrepintió.

Zeniff líder justo que llevó a un grupo de nefitas de Zarahemla a la tierra de Nefi, donde fueron hechos esclavos del inicuo rey Lamán.

Zerahemna líder lamanita que luchó contra los nefitas y quería que éstos fueran sus esclavos; le fue cortado el cuero cabelludo en una batalla contra el ejército del capitán Moroni.

Zoram siervo de Labán que viajó con la familia de Lehi a la tierra prometida.

Zoramitas gente inicua que una vez perteneció a la iglesia de Dios; oraban dentro de sus sinagogas en un lugar llamado Rameúmptom.

LUGARES QUE SE DEBEN CONOCER

Abundancia[1] lugar donde se estableció la familia de Lehi después de haber viajado ocho años por el desierto. De ahí se fueron a la tierra prometida.

Abundancia[2] lugar al que fue Jesucristo cuando visitó a los nefitas.

Aguas de Mormón lugar donde Alma bautizó a los nefitas convertidos que se habían separado del rey Noé.

América la tierra prometida a la cual Dios dirigió a la familia de Lehi y a los jareditas.

Ammoníah ciudad de gente inicua que no quiso escuchar a Alma, hijo, y a Amulek.

Babel ciudad donde la gente inicua construyó una torre para poder subir al cielo.

Belén ciudad cerca de Jerusalén donde nació Jesucristo.

Cerro de Cumorah lugar donde Moroni enterró las planchas de oro y que José Smith desenterró más tarde.

Jersón tierra que los nefitas dieron al pueblo de Ammón.

Jerusalén ciudad donde Lehi profetizó a los inicuos y lugar donde Jesucristo predicó y fue crucificado.

Nefi ciudad que Nefi y su pueblo construyó después que dejaron a Lamán y a Lemuel y sus seguidores.

Sidom tierra donde Alma, hijo, estableció la Iglesia; se convirtió en el nuevo hogar de la gente justa que salió de Ammoníah.

tierra prometida cualquier tierra a la que Dios conduce a su pueblo escogido. Él condujo a la familia de Lehi y a los jareditas a la tierra prometida.

Zarahemla una importante ciudad nefita que era el gobierno y el centro de la Iglesia; ahí vivían el rey Mosíah y el rey Benjamín. La ciudad fue quemada al morir Jesús.

Personas del Libro de Mormón

Abinadí y el rey Noé (Capítulo 14)

El rey Benjamín (Capítulo 12)

El hermano de Jared (Capítulo 51)

Alma, hijo (Capítulo 18)

2200 a. de J. C.	600 a. de J. C.	500 a. de J. C.	400 a. de J. C.	300 a. de J. C.	200 a. de J. C.	150 a. de J. C.
El hermano de Jared	Lehi Saríah Nefi	Lamán Lemuel Sam	Jacob Enós	Éter	Abinadí Noé Zeniff	Benjamín Alma Limhi	Mosíah

Lehi (Capítulo 6)

Nefi, Sam, Lamán, Lemuel (Capítulo 4)

Alma (Capítulo 15)

Capitán Moroni (Capítulo 32)

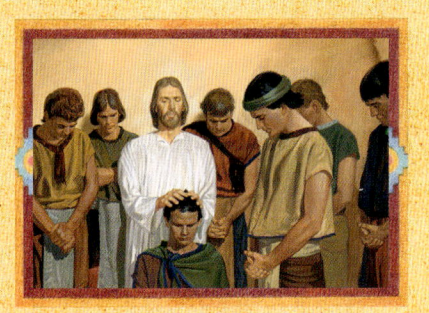

Jesucristo (Capítulo 43)

José Smith (Capítulo 1)

0 a. de J. C.				100 d. de J. C.	400 d. de J. C.	1800 d. de J. C.
Alma, hijo Ammón Lamoni		Helamán Capitán Moroni	Nefi Samuel el Lamanita	Jesucristo	Los Tres Nefitas Mormón	José Smith

Ammón y el rey Lamoni (Capítulo 23)

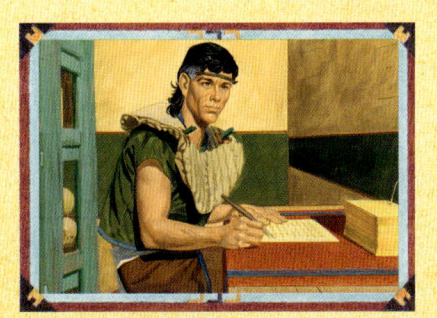

Mormón (Capítulo 49)

Moroni (Capítulo 54)

Samuel el Lamanita (Capítulo 40)

ÍNDICE DE TEMAS

A

Aarón 53, 69–72
Abinadí 39–41
Abundancia, tierra de 15
Adán, planchas de bronce hablan de 12
Aguas de Mormón 43
Alma, pueblo de 44
Alma, hijo
    enseña a sus hijos 82–84
    es encarcelado con Amulek 62
    llega a ser líder de la iglesia 54
    llega a ser juez superior 54
    lucha contra la iglesia 49–50
    predica el Evangelio 52, 58–60, 78–81
    predica en cuanto a la fe 81
    se arrepiente 51–52
    se aparece el ángel a 50
Alma
    bautiza en las aguas de Mormón 43
    cree las enseñanzas de Abinadí 41
    escapa del rey Noé 44
    llega a ser líder de la Iglesia 49
altar 6
Amalickíah 89–90, 92
Amínadab 101
Amlici 56
Amlicitas 56–57
Ammarón 138
Ammón, pueblo de 73–74, 80, 93–94
Ammón 45, 53, 64–70
Ammoníah 58
Amulek 58–63
Amulón 48
ángel
    aparece a Nefi y a sus hermanos 10
    dice a Alma que regrese a Ammoníah 58
    Moroni enseña a José Smith 3–4
    reprende a Alma, hijo, y a los hijos de Mosíah 50
ángeles
    consuelan a los lamanitas 102
    ministran a los discípulos de Jesús 128
    rodean a los niños nefitas 125
anticristo (véase Sherem, Nehor, Korihor)
Anti-nefi-lehitas (véase Ammón, pueblo de)
árbol de la vida 18–20
arco de Nefi 14
armadura
    de los nefitas 85
    Nefi se pone la de Labán 11
armas
    enterradas por el pueblo de Ammón 73
    lamanitas las entregan al capitán Moroni 77–78

arrepentimiento
    de Alma, hijo 52
    del rey Lamoni 68
    del padre del rey Lamoni 72

B

Babel, Torre de 143
barcos 145–46, 148
bautismo (véase también Alma, Lamoni[2], Nefi[2], Nefi[3], Zeezrom)
    Los discípulos de Cristo bautizan 130, 133, 136
    Moroni explica quién puede ser bautizado 155
Benjamín, rey 32–35
brazos, Ammón les corta a los ladrones los 66

C

Cerro de Cumorah 3, 141, 156
convenio 35, 73, 93
Coriantón 83–84
Coriántumr 150–51
crucificar 33
cuero cabelludo, a Zerahemna le es quitado el 88
Cumorah (véase Cerro de Cumorah)

D

dedo de Jesucristo 147
desierto, viajaron por el 6, 13–1°5, 144
discípulos 122, 126–34
dos mil jóvenes guerreros 93–94

E

edificio en el sueño de Lehi 19–20
Enós 30–31
espada de Labán 11
Espíritu de Dios (véase Espíritu Santo)
Espíritu Santo
    deja de dar guía 139, 151
    escuchar al 11
    llenos del 28, 34, 40, 68, 79, 101
    recibir el 34–35, 126–30, 136
estandarte de la libertad 89–90, 97
estrella 112, 116
Éter 149–51
Eva, planchas de bronce hablan de 12

F

fe
    Alma, hijo, enseña en cuanto a la 81
    dos mil jóvenes guerreros tienen 94
    el hermano de Jared ve el dedo del Señor debido a su 147
    La Liahona funciona por medio de la 13–14, 23–24

Enós es perdonado debido a su 30
los muros de la prisión caen debido a la de Alma y de Amulek 62
Nefi demuestra fe al obtener las planchas de bronce 8–10
fruto blanco 18–20

G

Gadiantón, ladrones de 110
Gedeón 54

H

Hagot 98
hambre 109–10
Helamán 82–83, 93–94, 99
hermano de Jared 143, 145–48
hierro, barra de 19–20
hijos de Mosíah 49–53, 64, 73
Himni 53
hombres libres 91

I

Ídolos 78
iglesia
    a cuál debía unirse 2–3
    cómo se ha de llamar la 131
Ismael, tierra de 64
Ismael y su familia 13, 15

J

Jacob 15, 27–29
Jared 143
Jareditas 143–44, 148–51
Jersón 74, 85–86
Jerusalén 5–6, 8, 13
Jesucristo
    aparece 2–3, 7, 121, 128, 131, 139, 147
    bendice a los niños 124–125
    como Salvador 33, 122
    como ejemplo 131
    enseña a los nefitas 122–23, 126–27, 130–31
    ora 124–125, 129
    ordena a Sus discípulos 122
    sana 123
    se profetiza la venida de 5, 33, 40, 111–13
    señales de la muerte de 112, 117–19
    señales del nacimiento de 112, 115–16
José, hermano de Nefi 15
José Smith 24
jueces (véase juez superior)
juez superior
    Alma llega a ser el primer 54
    Alma deja de ser 58
    asesinato del 105–7
    realistas rechazan al 91, 96

K

Korihor 75–77

L

Labán 8–11
ladrones 64–66, 110
Lamán, rey 36–37
Lamán 6–10, 15, 21–24, 26
Lamanitas
    atacan a los nefitas 36–37, 42, 57, 86, 139–41
    atacan al pueblo de Ammón 74, 94–95
    iniquidad de los 138–39, 154
    maldición de los 26
    rectitud de los0 102, 111, 136–37
    se arrepienten 73, 102
    se unen a la Iglesia 73
    se separan de los nefitas 26, 138
Lamoni, rey 64, 66–70
Lamoni, padre de 69–72
Lehi
    encuentra la Liahona 18–20
    exhorta a Jerusalén a arrepentirse 5
    se le dice que salga de Jerusalén 6
    sueño de 18–20
    viaja por el desierto 6–7, 15
Lehi[2] 99–102
Lemuel 6–8, 10, 15, 21–24, 26
Liahona 14, 23–24
libre, libertad 44, 85, 89–92, 97
Limhi, rey 45–46
luz para los barcos de los jareditas 147–48

M

madres de dos mil jóvenes guerreros 94
maldición 26, 151
María, nombre revelado en profecía 33
misionero 53, 78
Mormón 138–42
Moroni 3–4, 141–42, 154–56
Moroni, Capitán 85–90, 92, 95–97
Mosíah, rey 32, 35, 49, 53

N

Nefi, ciudad y tierra de 26, 36–37, 71, 99
Nefi
    construye un barco 21–22
    dirige a los nefitas 26
    ha de ser líder sobre sus hermanos 7, 10

169

hijo de Lehi y de Saríah 6
Jesucristo visita a 7
los hermanos lo atan 23–24
mata a Labán 11
quiebra el arco 14
regresa a Jerusalén por las planchas de bronce 8–12
Nefi^2 99–110, 112–14
Nefi^3 114–16, 122
Nefíah 58
Nefitas
    atacan a otros nefitas 42, 57, 92, 97, 110
    atacan a los lamanitas 97, 139–41
    grupo se va con Zeniff 36
    grupo se une a los lamanitas 56, 90, 96
    iniquidad de los 38–39, 55, 58, 82, 103–4, 138–40
    rectitud de los 26, 55, 136–37
    se arrepienten 34, 77
    se separan de los lamanitas 26
    se hacen esclavos de los lamanitas 42, 45, 47–48
Nehor 54–55
niños, Cristo bendice a los 124–25
noche sin obscuridad 112, 115–16
Noé, rey 38–42

O

obedecer, obediencia 11–12, 130
obscuridad 18–20, 100–1, 112, 118–19
Omner 53
orar
    para recibir el Espíritu Santo 128–29
    por ayuda 18, 53, 74, 79, 86
    por conocimiento o guía 2–3, 7, 21–22, 53
    por otras personas 5, 30–31, 49, 51, 129
    por protección 89–90
    por perdón 3, 30, 34, 68, 145
    por fortaleza 37, 57, 62
oro, planchas de 3–4

P

Padre Celestial 2
Pahorán 91, 95–97
piedras, Jesucristo toca las 146–48
planchas
    de bronce 8–12
    de Nefi 25, 27, 30–31, 83, 138, 141
    de los jareditas 151
    de Mormón 140–42
    de oro 3–4, 154–56
planchas de bronce 8–12
Primera Visión 2–3
prisión
    los muros caen para Alma y Amulek 62
    Nefi y Lehi protegidos en la 99–102

Q

quemados, mueren
    Abinadí 41
    mujeres y niños 61
    Rey Noé 42

R

Rameúmptom 78
realistas 91–92, 96
rebaños del rey Lamoni 64–65
registros (véase planchas)
reina
    del rey Lamoni 68
    del padre del rey Lamoni 72
rey 44, 91
riquezas 39, 55, 79

S

Santa Cena 126, 129–30, 155
sacerdocio 122
Sam 6–8, 10
Samuel el Lamanita 111–13
Saríah 6, 15, 23
Seántum 107
Seezóram 105–6
semilla como la palabra de Dios 81
señal
    de la muerte de Jesucristo 112, 117–19
    del nacimiento de Jesucristo 112, 115–16
    Korihor pide una 76
    Sherem pide una 28–29
Sherem 27–29
Shiblón 83
Shiz 151
Sidom 63
Sidón, río de 86
sinagoga 78
Smith, José 2–4
sueño (véase también visión) 5–6, 18–20

T

tierra prometida 25, 144, 148
torre
    de Babel 32
    del rey Benjamín 32
    Rameúmptom 78
traducir 3–4

U

Urim y Tumim 4

V

visión 3, 5–6, 18–20
voz0 100 102, 119–20

Z

Zarahemla 75, 96, 103, 111, 118
Zeezrom 60–61, 63
Zeniff 36, 38
Zerahemna 85–88
Zoram 11–12
Zoramitas 78–80, 83–84